rowohlt
PAPERBACK

PASCALE HUGUES

IN DEN VORGÄRTEN BLÜHT VOLTAIRE

Eine Liebeserklärung
an meine Adoptivheimat

Deutsch von Elisabeth Thielicke
und Jens Mühling

Rowohlt Taschenbuch Verlag

4. Auflage Februar 2015

Originalausgabe
Veröffentlicht im Rowohlt Taschenbuch Verlag,
Reinbek bei Hamburg, Mai 2010

Satz Kepler PostScript, InDesign,
bei Pinkuin Satz und Datentechnik, Berlin
Druck und Bindung
CPI books GmbH, Leck, Germany
ISBN 978 3 499 62622 7

Für meinen Vater

INHALT

Mon Berlin 11

FRÜHLING

Am Ufer des Harems 17 In den Vorgärten
blüht Voltaire 20 Poesie im Faltplan 23
Wa! 26 La vie en rose 29 Der James Bond
vom Grunewald 32 Ein Steinway im Mund 35
Figaro express 38 Knuts Papa 41 Das Sofa
der Geschichte 44 Kriege ohne Sieger 47
Der faltige Charme des Avus 50 Kaffee ist
Leben! 53 Wo fängt man besser den Tag an? 56
Die Droge Spargel 59 Willkommen in
Berlin! 61 Peepshow für die Ohren 64

SOMMER

Albtraum FeWo 69 Kofferpack-Neurose 72
Sechs rosa Muscheln 75 Europa, deine Strand-
möbel 78 Der Aufstand der dicken Bohnen 81
Gewitter 84 Dixi-Land 87 Simone de Beauvoir
in Prenzlberg 89 Pétanque am goldenen Hirsch 92
Hauptstadt-Safari 95 Berliner Balkone 98

Die Rehabilitierung der Geranie 101 Babel am Scharmützelsee 104 Die Ferien der Großen 107 August der Starke 110 Zu intim! 113 Ein Sommermorgen auf dem Fehrbelliner Platz 116 Palermo im Hinterhof 119

HERBST

Der Kuss im Beton 125 Das Café Adler verlässt den amerikanischen Sektor! 128 Immer dabei 131 Lesung 134 Ja, ich werfe Bücher weg! 137 Seepferdchen mit Pilskrone 140 Berliner Bademeister – ein ewiger Traum 143 Bei Orkan im Stadtbad Schöneberg 146 Die Nacht, als Peggy im Büro übernachtete, eng an ihren Chef geschmiegt 149 Dame Pipis unterirdisches Universum 152 Die Heilige aus der Sandalenabteilung 155 Bügeln mit Bienzle 157 Leckere Tiere, gemischte Gefühle 160 Die Deutschenmacher 163 So leicht! Ein Künstler des Krokants! 166 Matratzen in Habtachtstellung 169 Das Buch der Straße 172

WINTER

Der geklonte Karneval 177 Aschenputtel auf der Erbse 180 ZZZ 183 Einsteins Cousins 186 Verschwörung am kalten Büfett 189 Aber bitte mit

Streuselkuchen 192 Beißende Lava in der Eck-
kneipe 195 Höhenangst auf dem Mont Klamott 198
Eine Despotin – aber leicht zu entkleiden 201
Der Charme der Revolution 204 Himmlische
Ruhe 207 Petit Marcel, du Liebestöter 210 Rund-
briefe 213 Weihnachtsgans Nummer drei 216
Alle Jahre wieder ... löst das Backblech
die Leitkulturfrage 219

MON BERLIN

Dies ist eine Liebeserklärung an Berlin, seit zwanzig Jahren meine Adoptivstadt.

Lange Zeit beneidete ich die Reporter, die in einer Woche nach Bagdad reisten, in der nächsten nach Peking. Jeden Tag, so sagte ich mir, erleben sie das große Abenteuer, fern, sehr fern von zu Hause. In den Städten, die sie durcheilen, ist alles fremd, sensationell, faszinierend. Während sie den Planeten umrundeten, hatte ich mich entschlossen, meine Koffer in Berlin abzustellen. Ganz nahe an Frankreich.

Ich heftete also meine Blicke in die Ferne und hätte darüber beinahe vergessen, mich dort umzuschauen, wo ich war. Doch bald bemerkte ich: Die wahre Exotik wartet an meiner Türschwelle, im Treppenhaus, im Hinterhof, am Ende meiner Straße. Ich muss gar nicht weit gehen, in der ruhigen Abfolge der Jahreszeiten schon entfaltet sich ein ganzes Universum vor meinen Füßen. Seit mehreren Jahren ist meine vierzehntägliche Kolumne «Mon Berlin» auf der Meinungsseite des Berliner *Tagesspiegels* eine Forschungsreise intra muros.

Ich muss nur aus dem Haus gehen und ein bisschen herumschnüffeln, und schon entdecke ich höchst Verwirrendes: dass die Berliner im Sommer wie englische Internatsschüler in kurzen Hosen zur Arbeit gehen. Stellen Sie sich einen Pariser Beamten vor, der in Shorts, Socken und Sandalen in seinem Büro erschiene! Dass ihre Berge unecht sind, ihr Karneval ein klägliches Plagiat, ihre Hunde ein ödipaler Ersatz für die Kinder, die sie nicht bekommen haben. Die Konditoreien der Berliner treiben mir die Tränen der Verzweiflung in die Augen, andererseits erkenne ich in ihrem Eifer, alljährlich im Dezember Weihnachtsplätzchen zu kreieren, eine gesunde Selbstvergewisserung ihrer nationalen Identität.

Und dann diese Manie, in den ersten Minuten auf der Caféterrasse einen völlig Unbekannten zu duzen, diese triumphierende schlechte Laune, mit der sie um ein Uhr nachts die Reisenden auf dem Flughafen Schönefeld begrüßen, diese kindliche Freude am Dabeisein, wenn irgendetwas los ist in ihrer Nähe, dieser vife, grobe, schnelle Humor, diese so zärtliche «Schnauze», diese große Weisheit in Lebensfragen.

Ich liebe Berlin. Seine unglaubliche Vitalität, die Melancholie mancher Viertel, in denen ich mich bei Einbruch der Dämmerung in das alte Europa der fünfziger Jahre zurückversetzt fühle, die Energie, die diese zerrissene Stadt seit zwanzig Jahren aufbringt, um ihre beiden so lange getrennten Hälften zusammenzuschweißen. Ich liebe auch seine rührende Hässlichkeit.

Man verliebt sich nicht auf den ersten Blick in Berlin. Anders als Paris, Rom oder London verzaubert Berlin uns nicht. Berlin hat kein schönes Gesicht. Es ist mit riesigen Löchern übersät und mit seelenlosen Gebäuden vollgestopft, die nach dem Krieg in aller Eile errichtet wurden. Berlin ist nicht elegant, nicht raffiniert, nicht reich. Berlin war ein Nachkömmling im exklusiven Club der Hauptstädte, es ist schnell gewachsen, schlecht und recht. Eine massige Metropole ohne wirkliche Wurzeln, vom Bombenkrieg zerfleischt, vom Kalten Krieg misshandelt. Ich liebe den Wind bukolischer Anarchie, der hier stärker als in jeder anderen europäischen Hauptstadt weht.

«Berlin ist nicht Deutschland!», sagen die Franzosen, die seit ein paar Jahren in die Stadt strömen. Ich weiß nicht, ob das wirklich stimmt – auf jeden Fall ist Berlin die einzige deutsche Stadt, von der die jungen Franzosen träumen. Berlin erschüttert ihre tiefverwurzelten Klischees von dem angeblich so ordentlichen und langweiligen Deutschland. In welcher europäischen Metropole kann man schon seine Würstchen unter den Fenstern des Staatschefs grillen und im Herzen der Stadt splitternackt in einen See springen? Welch schreckliche Strafe würde wohl einen Menschen erwarten, der es wagte, im Jardin du Luxembourg unter den erstarrten Blicken der ehrwürdigen Senatoren der Republik seinen Schlüpfer auszuziehen? Ja, es ist wahr, wenn ich in meinem Berlin spazieren gehe, erscheinen mir Bagdad und Peking ein bisschen fade ...

Pascale Hugues

FRÜHLING

AM UFER DES HAREMS

Einst war der Frühling eine naive, verspielte Jahreszeit. Er gehörte den Verliebten, den Blümelein und den Vögelchen. Das war einmal. Rund um den Schlachtensee animieren die ersten Temperaturschübe heute nicht mehr die Vögel zum Singen, Springen und Scherzen, sondern Bataillone von Joggern zum Keuchen, Spucken und Ächzen.

Die Morgenstunden gehören den Zehlendorfer Gattinen. Die Kinder sind in der Schule, die Ehemänner schuften im Büro. Der See ist noch kalt und finster, der Himmel leuchtet in zarten Mauve-Tönen. Die Zehlendorferinnen joggen paarweise nebeneinander her, in der gleichen Anordnung wie die Perlenstecker in ihren Ohrläppchen. Sie kultivieren einen laszíven Trott, der eher nach mediterraner Passeggiata aussieht als nach Nordic Walking. An ihren Gürteln baumeln Mineralwasserflaschen. Nach dem Parcours belohnen sie sich mit Cappuccino auf der Terrasse der Fischerhütte.

Das wahre Ziel ihrer morgendlichen Eskapade besteht nicht etwa darin, sich Pobacken aus Stahl für die Bikinisaison anzutrainieren, wie es die Frühlingsausgabe der Frauenzeitschrift ihnen vorschreibt. Nein, viel essenzieller ist die gründliche Erörterung der drei zentralen Themen des Lebens: Beziehung. Krankheiten. Pisa. Bei ihren kleinen, nachdenklichen Schritten versprühen die Damen vom Schlachtensee sophistische Sentenzen. «Es ist die innere Ausstrahlung, die zählt», behauptet die eine. «Schein und Sein», wirft die andere ein. Dann verfallen sie mit Genuss in Tratscherei. Kleine schrille Kiekser hallen zwischen den großen Bäumen wider: «Neeein! Hat sie gesagt? Wirklich? Unverschämt!»

Der morgendliche Schlachtensee ist für Berlin das, was der Harem für Marrakesch ist: eine Institution der Wärme und Intimität. Ein exklusiv weibliches Universum, das sich selbst genügt.

«Der Schlachtensee», schreibt der Stadtführer, den ich in Paris gekauft habe, bevor ich zum ersten Mal nach Berlin kam, «ist der ideale Ort für einen Spaziergang oder ein Sonnenbad. Am schönsten ist er zu jener Stunde, in der die Abendsonne auf den erschauernden Blättern der Bäume verglüht.» Ich entschied, auf die Dämmerung zu warten, um diese noble Erhebung der Seele mitzuerleben, um im Einbruch der Nacht die Lyrik dieser erhabenen Beschreibung wiederzufinden. Doch in den Abendstunden gehört der Schlachtensee den Männern. Nix mit Poesie! Ein Schub viriler Energie ergießt sich plötzlich aus den Büros an die Ufer des Sees. Aufgeschreckt von diesem Einbruch von Männlichkeit, flüchten Amsel, Drossel, Fink und Star auf die obersten Zweige der Bäume. Selbst die Wasser des Sees erschauern.

Mit schweren Körpern joggen einsame Männer die Uferpromenade entlang. Sie schweigen. Es geht sachlich zu. Energisches Tempo, feste Waden, große Schritte. Keuchend wie Walrosse bewegen sie sich fort. Der Bauch wird über dem Elastikband der Shorts getragen, er dient als balancierendes Moment. Saurer Schweiß zeichnet Arabesken auf T-Shirts. Die Gesichter unter den Baseballkappen sind krebsrot. Es ist eine deutlich weniger elegante Welt als die der Morgenstunden. Die Männer spucken und husten und schnäuzen sich die Nase mit dem Handrücken. Ein Rotzfaden landet in einem Busch am Wegesrand.

Nichts kann diese Marathonkämpfer aufhalten – um ein Haar rennen sie einen dicken, gutmütigen Hund über den Haufen, der sich sinnlich in der Wegesmitte räkelt. Am Abend wird der Schlachtensee zur stummen, kämpferischen Männerwelt. Ein Universum der Tat und der Muskeln, ein Universum, in dem Angst keinen Platz hat.

Am Schlachtensee erleben Männer und Frauen den Frühling jeder für sich. Mir gehen tausend einfältige Gedichte durch den Kopf, vor meinem inneren Auge tun sich Margariten auf, die als Liebespropheten abgepflückt werden, ich sehe süße Briefe, die unter Türen durchgeschoben werden, Veilchen, grüne Heide, blättersatte Birken und höre Kuckucksrufe. Ich sehe eine träumerisch sprudelnde Welt. Und schäme mich fast ein bisschen dafür, mich von diesen kitschigen Bildern überwältigen zu lassen.

Plötzlich kommt ein reiferes Paar die Uferpromenade entlanggeschritten, Hand in Hand, in zivilisiertem Tempo. Im Gang des Mannes liegt das Federn eines Halbstarken, der zum ersten Mal verliebt ist. Seine Frau hängt sich tief in seinen Arm. Er umschlingt ihre Schultern, versucht sie zu küssen. Sie geniert sich ein wenig. Er insistiert. Sie fangen an zu lachen. Sie brauchen weder Laufstöcke noch Baseballkappen, noch fluoreszierende Shorts. Und ich bin plötzlich wieder vollkommen beruhigt: Ja, das ist der Frühling. Alle Vögel sind schon da.

IN DEN VORGÄRTEN BLÜHT VOLTAIRE

Ich liebe die Langsamkeit der Berliner Bürgersteige. Wer sie müßigen Schrittes entlangschreitet, muss keine Angst haben, von anbrandenden Fluten eiliger Passanten aus seinen Gedanken aufgeschreckt zu werden. Die Trottoirs der großen Pariser Boulevards sind wie enge Laufbänder, auf denen Stress und schlechte Laune herrschen. Wer sie benutzen will, muss Ellbogen und Absätze gebrauchen. In Deutschland dagegen ist der Bürgersteig schon dem Wort nach ein zivilisierter Ort, an dem der ehrenwerte Bürger sich Muße und Zeit nimmt.

Mir gefällt das anarchistische Eigenleben der Berliner Bürgersteige, ich mag die großzügige Freiheit, die sie ihren Anwohnern bieten. Jeder eignet sich dieses schmale Stück öffentlichen Raumes im Sommer auf die eigene Art an, jeder privatisiert die Granitplatten vor seiner Haustür. Mein Zeitungshändler zum Beispiel verlagert jeden Morgen sein Wohnzimmer ins Freie direkt vor seinem Laden: Klappstuhl und Campingtisch, darüber ein Wachstuch, darauf eine Schüssel Müsli und grüner Tee. Mit einer Strickmütze schützt er seine Glatze vor der Zugluft. Beim Frühstücken inspiziert er auf der Lauer nach Kunden die Straße, wie ein heimlicher, aber mächtiger Kiezkönig. Auch der Physiotherapeut im Erdgeschoss dehnt seinen Wartesaal auf den Bürgesteig aus: An der Hausecke hat er eine Bank mit geblümten Kissen aufgestellt, damit die letzten Strahlen der Abendsonne die Hexenschüsse seiner Patienten streicheln können.

Die Berliner Bürgersteige sind multifunktional. Die kapitalistische Version: Samstags verwandeln sie sich in Basare, auf denen Schulkinder große Picknickdecken ausbreiten und ihr ausgedientes Spielzeug verkaufen. Manchmal weisen am Rand von Straßenkreuzungen improvisierte Altäre, ein Holzkreuz und ein Topf Chrysanthemen auf den Unfalltod eines Kindes, auf die Zerbrechlichkeit des menschlichen Lebens hin.

«Es gilt zu wissen, wie man seinen Garten kultiviert», riet Voltaire in meinen Schulbüchern – eine erbärmliche Schrebergartenphilosophie, die ich mit meinem ganzen Wesen verabscheute. Das menschliche Streben reduziert auf eine Gartenschere und eine Gießkanne! Das Universum verengt auf ein Rübenbeet! Mir waren damals natürlich Malraux und Rousseau lieber, die weit gereist waren und die Welt verändern wollten. Die Berliner dagegen – dieser Eindruck drängt sich mir bei meinen sommerlichen Spaziergängen durch die Straßen der Stadt auf – scheinen Voltaire zu ihrem Guru erkoren zu haben. Auf ihren Bürgersteigen pflanzen sie Rabatten aus Stiefmütterchen, lassen Klematisbögen die Bäume hinaufranken und Gartenzwerge gleich familienweise aufmarschieren; zwischen den Pflastersteinen züchten sie Petersilie. Die ganze Stadt jätet und schneidet, gräbt und sät aus. Jeder hegt seine kleine bukolische Oase, um das Grau der Metropole grün zu färben. Der schöpferische Elan kennt keine Grenzen: Im dunklen Hinterhof meines Hauses haben die beiden Yogi-Mieter aus dem Erdgeschoss einen Japanischen Garten mit einem Teich angelegt. Zwischen den Fahrrädern und der Kellertür überquert ein Terrakotta-Nilpferd eine kleine Holzbrücke, hinter den Mülltonnen logiert ein graziöser buddhistischer Tempel. Ein Zenparadies frei Haus. Vermutlich stärkt dieser verspielte Kitsch mit seinen Wellen unsere innere Balance.

In Charlottenburg hat kürzlich eine Delegation von Bezirksbeamten den Abriss eines dieser Miniaturparadiese angeordnet: Die Fußgänger könnten stolpern! Der Drahtzaun, der die jungen Triebe vor Zudringlichkeiten schützt, droht Autotüren zu zerkratzen! Als ich davon hörte, hatte ich fast ein wenig Angst um Berlin. Um eine Stadt, die in diesem Sommer auf ihren Bürgersteigen ein Stückchen jenes irdischen Glücks gefunden hat, nach dem der ebenso bescheidene wie weise Voltaire suchte.

POESIE IM FALTPLAN

Den Straßen der Großstadt sollte man nicht trauen. Oft haben die Straßen, in denen ich gelebt habe, mir Streiche gespielt. In London wohnte ich in einer von kleinen roten Ziegelhäusern gesäumten Straße. Eine Straße wie eine Skisprungschanze, die einen Hang hinaufkletterte und sich auf den Höhen der großen Stadt ins Leere stürzte. Ihr einziger Fehler: Sie hieß Nelson Road. Jeden Tag von neuem demütigte es mich, dass ich in der Umgebung eines Admirals wohnen musste, der die Franzosen bei Trafalgar geschlagen hatte. Als ich meiner jamaikanischen Nachbarin das Herz ausschüttete, lachte sie mein Problem einfach weg. «Nelson – aber damit ist doch Nelson Mandela gemeint!» Sie versöhnte mich mit meiner Straße. Ich habe dort noch lange Jahre mit meiner geretteten Ehre gelebt.

Als ich nach Bonn zog, bot ein Makler mir die ideale Wohnung an: großzügig, sonnig, zentrale Lage. Ruhige Nachbarn, die um acht Uhr abends die Rollläden herunterließen und die Polizei riefen, wenn die Gäste bei einer Geburtstagsfeier es wagten, nach 23 Uhr lauthals zu lachen. Ich wollte gerade den Mietvertrag unterschreiben, als der Makler mir sagte, welchen Namensgeber die Straße hatte: Adolfstraße. Nein! Keine Nachbarin hätte es geschafft, mich von den üblen Assoziationen zu diesem tabuisierten Vornamen zu befreien, und so zog ich in ein Haus in der untadeligen Thomas-Mann-Straße.

In Berlin gibt es geradezu verlogene Straßen. Ihre Namen enthalten Versprechungen, die auf keinen Fall eingehalten werden können. Nehmen wir die Paradiesstraße. Ist das Paradies etwa zwischen der Buntzelstraße und einem Autobahnzubringer eingeklemmt? Oder die berühmte Sonnenallee, die ich vorigen Montag bei Regen entlanggefahren bin? Nein, das ewige Glück suche ich bestimmt nicht hier. Vorsicht auch bei den beiden Venusstraßen – die von Alt-Glienicke mündet in den Birnenweg und streift die Siedlung Eigenheim II. Eine fürwahr aphrodisische Nachbarschaft! Zwischen Saturnstraße und Merkurstraße spricht die Reinickendorfer Venusstraße nicht von Liebe, sondern von Astrologie.

Andere Straßen entbehren jeglicher Poesie, und das Leben muss hier trist sein: der Viereckweg, die Tunnelstraße, die Geradestraße oder all die Straßen, die nur eine Nummer tragen. Straße 339. Straße 120. Hier läuft die Phantasie in die Sackgasse.

Manche Straßen sind einfach lächerlich. Die Adresse Spinatweg wird beim anderen jedes Mal einen Lachanfall auslösen. Auch die autoritären Straßen gefallen mir nicht: Kadettenweg, Magistratsweg, Pionierstraße, Ritterfelddamm – ebenso wenig wie die missionierenden Straßen. Dem Predigergarten ziehe ich den Lustgarten vor. Und dann wüsste ich auch gern, wer für den Männertreuweg und den Frauenschuhweg verantwortlich ist. Wer geht zwischen Rudow und Adlershof mit einem dermaßen sexistischen Weltbild hausieren?

Gewinner und Rekordhalter ist in Berlin die Wilhelmstraße mit allen ihren Varianten: Straße, Weg, Platz, Aue, Berg etc. Es gibt siebenundzwanzig Wilhelms in Berlin. Um die vierzig, wenn man die Kaiser noch dazunimmt. Vierzig Kaiser Wilhelms gegen eine Schröderstraße. Dieser Fußweg der Geschichte führt am Nordbahnhof vorbei. Im Kiez denkt man ernsthaft über eine Umbenennung nach.

In das dichte Gewebe der Berliner Straßen sind aber auch kleine Edelsteine eingenäht. Straßen wie Märchen: Schneewittchenweg, Hänsel-Gretel-Steig, Rapunzelstraße. Wie gern würde man nachts im Glühwürmchenweg spazieren gehen. Einen roten Umhang nehmen und durch den Zwerg-Nase-Weg trippeln. Und das Glück in der Kleeblattstraße und im Maikäferpfad suchen.

Manche Straßen sind wie für mich geschaffen. Würde ich in der Allée Saint-Exupéry, der Jean-Jaurès-Straße, an der Place Molière oder in der Rue Diderot wohnen, wie würde ich mich bei meinen verehrungswürdigen Landsleuten zu Hause fühlen! Über die beiden Sedanstraßen in Spandau bzw. in Steglitz würde ich großzügig hinwegsehen. Kreuzberg sei das Waterloooufer und die Waterloobrücke verziehen. Obwohl ein Bahnhof in London wirklich genug ist!

Besser gefallen mir die bukolischen Straßen. Kirschenbaumstraße, Hagebuttenhecke, Fingerhutweg erinnern an die Zeit, als Berlin noch ein großes Dorf war. Minzeweg und Quittenweg – schlichte und gutriechende Straßen. Mein Favorit ist der Alpenrosenweg. Er passt überhaupt nicht nach Treptow, ein ebener Stadtteil, der durch den Teltowkanal in zwei Teile geschnitten wird. Die Nachbarinnen dieser Straße sind ebenfalls charmant: Aprikosensteig, Orchideenweg, Glockenblumenweg. Ich war noch nie im Alpenrosenweg. Aber in einem Knick meines Faltplans, senkrecht V–W und waagerecht 7, hört man Jodeln und das Geläute von Kuhglocken.

WA!

Der Berliner hat immer recht. Und er hasst es, wenn man ihm widerspricht. Um die Gültigkeit seiner Meinung zu unterstreichen, um seinen wie eine absolute Gewissheit abgerundeten Satz zu beschließen, stellt er dieses kleine Wort ans Ende: *wa!*

Dieses beim ersten Hören so überraschende *wa* ist, wie mir erklärt wurde, die Volksversion des *nicht wahr* oder *stimmt's* im Hochdeutschen. Aber damit das klar ist: Das *wa* am Satzende ist eine rein formale Sache. Denn das *wa* erwartet keine Antwort. Haben Sie bemerkt, dass das *wa* in geschriebener Form nur selten mit einem Fragezeichen einhergeht, sondern viel häufiger mit einem Ausrufezeichen?

Eigentlich will der Berliner gar nicht wissen, welche Meinung der andere hat. Wäre der andere nicht einverstanden, wäre es dem Berliner auch egal. Das *wa* ist nicht so sehr ein zweifelndes Seufzen oder eine Bitte um Rat als ein selbstbewusster Knall, der eine Behauptung abschließt. In Wirklichkeit wendet das *wa* sich exklusiv an denjenigen, der es ausspricht. Es bestärkt ihn in seiner Meinung. Es beklatscht seine Sicht der Welt. Das echoende *wa* schmeichelt seinem Ego. Denn so ist es doch: Der Berliner hat meistens recht, *wa!*

Auf den ersten Blick könnte man das *wa* für einen nutzlosen Parasiten halten. Allerdings wäre es falsch, es nur als einen schlichten Schnörkel ohne besondere Funktion anzusehen. Das *wa* ist wie ein Luftholen zwischen zwei Behauptungen. Es gewährt eine kurze Erholungspause, bevor man sich gestärkt in eine neue Flut von Gewissheiten stürzt. Aber Vorsicht, das *wa* kann gefährlich werden. Wenn es in aggressivem

Ton herausgeschleudert wird, verwandelt es sich in eine Herausforderung, auf die man besser nicht eingeht. Du hast wohl ein Problem, wa! Im Klartext heißt das: Du willst meine Faust in die Fresse, oder was? Will man heil davonkommen, sollte man die Augen senken und sich wie ein Feigling mit kleinen Schritten entfernen. Würde man auf das *wa* mit einem Achselzucken oder mit Argumenten reagieren, könnte das fatale Folgen haben. *Wa* macht den, der es sagt, zum Platzhirsch.

Vergeblich habe ich mich bemüht, das Berliner *wa* in eine andere europäische Sprache zu übersetzen. Das *wa* ist nicht das englische *isn't it*, das zum dazugehörigen Subjekt passt. *Isn't it ... aren't they ...* Das *wa* ist unabhängig. Es belastet sich nicht mit Grammatikregeln. Es existiert für sich allein und schert sich nicht um den Rest der Welt. Das *wa* wird mit offenem Mund und runden Augen hervorgestoßen. Man sieht nicht besonders intelligent aus, wenn man *wa* sagt. Man hängt das *wa* mitten in die Unterhaltung, es schwebt einen Moment in der Luft, explodiert und sinkt zu Boden. Am ehesten könnte man noch eine phonetische Ähnlichkeit zu *oua* finden. Das *oua oua* der französischen Kinder, wenn sie die Sprache der Hunde nachmachen. Merkwürdig, diese Berliner, dachte ich bei meiner Ankunft in der Stadt, mitten im Gespräch fangen sie zu bellen an. Leiden sie an der Tourette-Krankheit, sind sie Opfer eines unkontrollierbaren stimmlichen Tics?

Das *wa* entspricht aber auch nicht dem französischen *n'est-ce pas*. Das *n'est-ce pas* ist etwas altmodisch und einen Hauch affektiert. Heute hört man es kaum noch. Man bevorzugt das *hein* (ausgesprochen wie das französische Wort «pain») oder das durch den Film *Willkommen bei den Sch'tis* unsterblich gemachte *WÄÄÄh*. Vielleicht kommt das süddeutsche (und elsässische) *gell* ihm noch am nächsten.

Ja, das *wa* ist nicht gerade elegant. Es ist sogar ein wenig ordinär. Und es gellt in den Ohren der deutschen Sprachpuristen. Das *wa* ist ein lexikalischer Outlaw, ein Eindringling, der nach den Hinterhöfen von Prenzlberg riecht. Ein Asozialer, wie man heute sagen würde. Das *wa* kommt aus der Straßensprache. Es ist nicht vornehm. Ein *wa* bei einer mondänen Cocktailparty oder einer Soiree in der Botschaft ist das Gleiche, als würde man sich die Nase mit der Leinenserviette putzen und seine Leberwurststulle verschlingen, während die anderen gepflegte Konversation treiben und zurückhaltend an einem Kaviartoast knabbern.

Das *wa* ist eher Lautmalerei als Verkleinerungsform, eher Magenknurren als Wort. Einfach ein Geräusch. Das *wa* ist wie der Berliner: direkt, eher ruppig, aber mit viel Humor. Ich kann es nicht länger verheimlichen: Ich bin ein *wa*-Fan. Ich liebe das *wa*, weil es frech und selbstbewusst auftritt. Ich liebe das *wa*, weil es mir sofort ein beruhigendes Heimatgefühl gibt, und wenn der Berliner auch noch ein *junge Frau* hinzufügt, bin ich im siebten Himmel. Ich liebe das *wa*, weil es klar beweist, dass die Globalisierung die Sprache noch nicht plattgemacht hat. Das tapfere kleine *wa* widersetzt sich. Es ist der letzte Rebell von Berlin.

LA VIE EN ROSE

Ich habe mich in die «Wiener Conditorei» am Roseneck geflüchtet, um in Ruhe meine Zeitungen zu lesen. Diese so durch und durch Westberliner Institution hat mich schon immer fasziniert. Heute ist die Zusammensetzung des Publikums ein wahrer Augenschmaus. Vor mir: zwei in Anstand erstarrte alte Damen in karierten Blazern. Nahe dem großen Fenster: drei junge Russinnen und ihre Vuitton-Handtaschen. Sie sind in ein schweres Parfum aus Moschus und Maiglöckchen gehüllt – die perfekte Kombination für einen sofortigen Migräneanfall. Auf der Bank: Über einem Teller Rührei analysieren zwei Geschäftsmänner einen Finanzplan. Auf den Ablagen: Hunderte Ostereier mit breiten Pastellschleifen. Die «Wiener Conditorei» ist ein sicheres warmes Nest, in dem der turbulente Vormittag der Stadt keinen Platz zu finden scheint.

«Links wählen, rechts leben ... war doch IMMER so. Noch ein Latte macchiato?» Die beiden Zehlendorferinnen im Blazer sind soeben in das Karussell des Weltelends eingestiegen: zynische 68er, Schulkatastrophe, böse Krankheiten, unfähige Mütter, herrschsüchtige Männer, grässliches Wetter und wieder Schulkatastrophe, böse Krankheiten ... um und um drehen und wenden sie den Jammer, das Entsetzen, die Skandale. Die beiden Damen haben sich heute zum Frühstück getroffen. «Mein Mann fragt mich beim Aufstehen: Wo sind die Brötchen? Ich schnappe mir meine Handtasche. Du frühstückst heute allein. Und bye-bye!» Leichten Schrittes ist sie entschwunden, von den Ketten befreit, stolz auf ihre Unverfrorenheit. Ich stelle mir den Ehemann vor, wie er verloren in der großen Küche steht. Ein ganz kleiner Tyrann, hilflos wie ein mutterloses Kind.

10.30 Uhr. Na, zum Wohl! Zwei Kelche Prosecco klingen aneinander. Eine schöne Gelegenheit, das Leben zu feiern und in das Gespräch heitere Elemente einfließen zu lassen, ein wenig Optimismus und Sonne, eine Brise der Leichtigkeit, einen Hauch Heiterkeit, ja sogar ein lautes Lachen. Aber ich höre nur entrüstete Detonationen. Sie explodieren in der wattigen Stille des Kaffeehauses. «Und das GING! ... UN-MÖG-LICH! Er SCHAFFT das!» Die Damen unterstreichen ihre Indignation, indem sie jede Silbe isolieren, kleine trockene Hammerschläge knallen von ihren Lippen. Ich sage mir, dass der Ehemann eigentlich ganz froh sein muss, wenn er heute Morgen allein in seiner Küche sitzt, ob mit oder ohne Brötchen.

Am Nebentisch hält eine junge Russin Händchen mit ihrem ältlichen Liebhaber. Ein recht großes Opfer für den Diamanten am Finger, finde ich, als ich die üppigen rosigen Lippen der Angelina Jolie von der «Wiener Conditorei» sehe und daneben die grauen Wangen des alten Mannes, die wie erschöpfte Scheuerlappen herunterhängen. Die Schlüssel zum Sportwagen vor der Tür baumeln an seinen Fingern wie an einem Angelhaken. Plötzlich wird mir klar, wie ihm die Schöne ins Netz gegangen ist. Aber dank meiner Nachbarinnen kann ich das Funktionieren des so schlecht zusammenpassenden Gespanns leider nicht weiter analysieren.

Eine neue Runde ist eingeläutet. Und mir wird schwummrig. «Wie schwer es für die Kinder ist ... Deswegen MÜSSEN wir!», verkündet sie mit einer Stimme aus Stahl und klopft dazu mit den Fingerspitzen auf den kleinen Tisch aus künstlichem Marmor. Sie gestikuliert wild, um ihre Gedanken ganz deutlich zu machen. Wie ein Dirigent schlägt sie zwanghaft den Takt des Elends. Piano die Tränen! Mezzoforte die Empörung! Fortissimo der Zorn!

«Wo LEBEN wir denn?» Die Stinkbomben in den Kreuzberger Mülltonnen. Der Teufel in den Berliner Kinderzimmern. Während die Zehlendorferinnen das Leben schwarzmalen, rieselt ein Sonnenstrahl über die Tische. «In guter Gesellschaft genießen!», lautet die Devise der «Wiener Conditorei». Am liebsten würde ich meine Nachbarinnen kitzeln, um sie mal zum Lachen zu bringen. «JA, das wird IMMER schlimmer», klagen sie im Chor. Innerlich pfeife ich vor mich hin. Always look on the bright side of life ...

DER JAMES BOND VOM GRUNEWALD

Es gibt keinen törichten Beruf, sagt ein französisches Sprichwort. Da bin ich anderer Meinung. Einen der undankbarsten Berufe kann ich zweimal in der Woche auf der Königsallee studieren, wenn ich an der Residenz des türkischen Botschafters vorbeifahre. Der Grunewald ist ganz in der Ruhe dieses strahlenden Frühlings versunken. Hundebesitzer beim Gassigehen, Tennisspieler, alte Damen, die zum Friseur oder in die «Wiener Conditorei» dackeln – dieser Kiez beherbergt wenige Krawallmacher oder andere Elemente, die die öffentliche Ordnung bedrohen könnten. In Grunewald riskiert man eher einen Pudelbiss als terroristische Anschläge auf die Freiheit. Und die einzigen Explosionen, die den bürgerlichen Frieden beeinträchtigen, werden von Rasenmähern verursacht.

Und doch steht jeden Tag ein Polizist Wache auf dem Bürgersteig vor der Residenz. Das ist nun mal so, die Botschaften werden als politisches Hochrisiko klassifiziert, selbst wenn sie im tiefsten Grunewald liegen. Ob es schneit oder ob die Hundstage Berlin betäuben – der Polizist ist immer da. In meinem Wochenablauf ist er zu einem Fixpunkt geworden, zu einer Säule der Stabilität in der unkontrollierten Bewegung der Großstadt. Er geht vor dem Gitterzaun der Villa auf und ab. Bei starkem Regen darf er in einer wie ein Boudoir eingerichteten Telefonzelle Zuflucht suchen: ein Holzstuhl, eine Reihe Kissen (Hertha BSC für den Po, welker beiger Samt für den Rücken), eine Thermosflasche Kaffee und ein elektrisches Heizöfchen. Der Berliner Polizist muss sich nicht quälen lassen wie der Guard Ihrer Gracious Majesty. Der steht wie ein Laternenpfahl vor dem Buckingham Palace, «upholding the tradition of the past», sagen die Touristenführer. Unter seiner Bärenfellmütze bietet der Guard diesen lächerlichen Anblick, den nur die Engländer als würdig ansehen können. Gott sei Dank hat Deutschland den Geschmack an derartigen Torheiten und patriotischen Spektakeln verloren. Die khaki Jacke, die beige Hose und die Mütze des Berliner Polizisten sind leichter zu ertragen.

Wann immer ich an dem Polizisten von der Königsallee vorbeifahre, frage ich mich, wie er seinen Tag herumbringt, wie er es schafft, nicht vor Langeweile zu verkümmern. Gleichmäßig wie ein Uhrpendel geht er auf dem Trottoir auf und ab. Um ihn herum stampft die Großstadt, der Wachtposten versieht unerschütterlich seinen Dienst. Er lebt gegen den Strom. Während wir alle uns fragen, wie wir die Zeit abbremsen können, die immer schneller rast, schiebt der Wachhabende vor der Botschaft die nicht enden wollenden Minuten vor sich her. Er will Gas geben, er will die Stunde der Erlösung so schnell wie möglich erreichen: das Ende der Schicht. Von weitem wirkt er wie ein von Tics geplagter Hampelmann: Er reibt sich die Hände, sieht alle zwei Minuten auf die Uhr, wippt von der Ferse auf die Zehenspitzen und retour, kaut am Nagel des rechten Ringfingers, faltet gemächlich sein Taschentuch auseinander. An einem Nachmittag, als noch weniger los war als sonst, habe ich ihn sogar dabei überrascht, wie er heimlich an einer Zigarette zog, gleich einem Halbwüchsigen, der auf der Schultoilette beim Rauchen erwischt wird.

Auf der Königsallee sieht man nicht viele Fußgänger. Der Polizist grüßt sie unfehlbar mit einem kräftigen «Guten Tag!». Macht er sich die Tristesse seines Berufs manchmal klar? Hofft er, dass ein kleines Attentat eines Tages seine Aufgabe aufwerten, einen Helden aus ihm machen könnte? Träumt er davon, der James Bond vom Grunewald zu werden? Oder beschäftigt er sich mit Prosaischerem? Zählt er, wie viele Schritte er pro Stunde auf dem Bürgersteig zurücklegt? Berechnet er den Abstand zwischen den Gitterstäben der Residenz und dem Rinnstein? Oder inspiziert er die Risse im Straßenbelag?

Zu gern würde ich seine Gedanken lesen können. Es gibt keinen törichten Beruf, es gibt nur törichte Menschen ... sagt der zweite Teil des Sprichworts. Vielleicht füllt der Polizist ja einfach die Zeit auf sehr konstruktive Weise. Diese Zeit, die uns allen fehlt. Diese Zeit, deren Verstreichen wir nicht sehen. In Gedanken versinken, nichts tun, das vorüberziehende Leben betrachten ... Vielleicht ist der Bulle vom Grunewald ein Philosoph. Und wenn ich wie ein Rennwagen von einem Termin zum nächsten sause, überrasche ich mich manchmal bei dem Gedanken, dass ich ihn beneide.

EIN STEINWAY IM MUND

Mütter in Minirock und rosa Sweatshirt, Zwillingsschwestern ihrer Töchter auf dem Schulweg. Väter weit jenseits der fünfzig in den gleichen ausgefransten Jeans wie ihre Söhne im Gymnasium. Der generationenüberschreitende Partnerlook ist in Mode. Nicht leicht, den Vater vom Sohn, die Mutter von der Tochter zu unterscheiden. Mit ihren Baseballmützen, Lederhosen und wippenden Pferdeschwänzen bevölkern pubertierende Erwachsene die Straßen von Berlin. Nun jedoch scheint diese regressive Nachahmung ein beunruhigendes neues Stadium erreicht zu haben.

Bis vor einiger Zeit war die Zahnspange ein Übergangsritus der Adoleszenz, vergleichbar der Jugendakne und dem ersten Rockkonzert ... Man war stolz darauf. Schließlich wollte man nicht sein ganzes Leben ein Hamsterprofil behalten! Und man war bereit, erhebliche Probleme auf sich zu nehmen: Wie kann es zum ersten Kuss kommen, wenn man diese Konstruktion aus Stahldraht im Mund hat? Wenn zwei verliebte Spangenträger sich küssen, verhaken sie sich dann nicht ineinander? Wie soll man Karamellbonbons essen? Kaugummi kauen? Querflöte spielen? Oder auch nur lächeln, ohne auszusehen wie eine Egge mit ihren Eisenzähnen? Alles nicht so wichtig. Eine Zahnspange tragen bedeutete, dass man die Schwelle zum Erwachsenenalter überschritt. Jeder wollte so etwas. Als Kind bastelte ich mir einen furchterregenden Apparat: einen Draht, den ich mit zwei Kaugummis an die Backenzähne klebte. Die Mädchen in meiner Klasse spielten am liebsten «Zahnspange». Und wir waren sehr wütend auf den Zahnarzt, als der befand, dass wir gar keine brauchten.

Doch welcher Erwachsene im Vollbesitz seiner geistigen Kräfte lässt sich freiwillig dieses Folterinstrument in den Mund zwängen, mit seinen Gummibändern, seinen Stahlplättchen, die einem den Gaumen aufschneiden, seinen Schrauben und Rädchen? Wer hat schon Lust, mit halbgeöffnetem Mund zu schlafen und ins Kopfkissen zu sabbern? Unverständliche Sätze zu lispeln? Mit einer Stimme wie eine Comicfigur? Wer möchte allmorgendlich seine Prothese mit einer Kukident-Tablette in ein Glas versenken wie die alten Leute im Seniorenheim?

Betrachtet man die Münder voll Metall, die bei Berlinern der Generation 40+ zu sehen sind, so könnte man auf den Gedanken kommen, dass es sich dabei um ein hochmodernes Accessoire für Erwachsene handelt. Piercing, Lifting, Botox, Fettabsaugen und Wonderbra genügen nicht mehr für die Illusion der Vollkommenheit ... Berlin träumt von einem Lächeln à la Hollywood, von einer Reihe Zähne, so ebenmäßig wie die Tasten eines nagelneuen Steinway. Schöne Zähne sind zum Prestigeobjekt geworden, zum Symbol für sozialen Aufstieg und ein erfolgreiches Leben. Man kann sich sogar Zahnspangen aus Golddoublé gönnen. Zahnspangen are a girl's best friend! Jeder hat das Recht, die Fehlbauten der Natur nachzubessern.

Die Zeiten sind vorbei, als ganz Frankreich sich darüber aufregte, dass François Mitterrand, frischgebackener Präsident der Republik, sich seine spitzen Schneidezähne hatte abschleifen lassen. Seine Medienberater hatten ihn gewarnt: Die präsidialen Schneidezähne verliehen dem Mann an der Spitze Frankreichs das Aussehen von Dracula – für die Steuerzahler ein ziemlich beunruhigender Anblick. Eitelkeit! Betrug! Frankreich war entrüstet. Die Zeiten haben sich gründlich geändert. Berlusconi hat sich liften lassen wie eine gealterte Operndiva, Sarkozy trägt diskrete Keilabsätze, und wir verzichten darauf, den Namen eines berühmten deutschen Politikers zu nennen, der auch mit Mitte sechzig noch immer ebenholzschwarzes Haar trägt. Milchzähne und Glatze, goldene Zahnspangen und Hitzewallungen ... wo wird dieser große Cocktail aus Lebensaltern noch enden?

FIGARO EXPRESS

Wird eine alte Berliner Einrichtung bald der Beschleunigung zum Opfer fallen? Bedroht das «Cut and Go» den traditionellen Friseursalon? Seit ein paar Jahren erscheint dieses Fast-Food-Lokal für den Haarschnitt an jeder Straßenecke. Wenn es sich weiter so vermehrt, wird es in dieser Stadt bald mehr Express-Friseure als Kneipen geben, und die Stadt, bis heute eine der langsamsten Metropolen Europas, wird ihre Schwestern Paris und London in ihrem verzweifelten Lauf gegen die Uhr eingeholt haben. Denn für den Haarschnitt will man keine Zeit mehr verschwenden.

Man muss sich nicht mehr im Voraus anmelden. Man stürmt in den Laden, wenn einem gerade danach zumute ist. Man zieht eine Zahl wie bei der Passverlängerung im Konsulat oder im Einwohnermeldeamt. Man wartet einen kurzen Moment, kaum berührt der Po die Kante eines Designersessels, man ist bereit zum Sprung. Rasche Haarwäsche, schneller Schnitt, ohne dass mit dem stummen Friseur ein Wort gewechselt wird. In den neuen In-Lokalitäten schlürft man eine Bionade oder einen grünen Gewürztee, während man vor sich hin starrt. Klipp, klapp, fertig! Der Friseur schickt einen ganz allein in die Ecke zum Haaretrocknen. Das ist billiger und ein bisschen so, als würde man im Restaurant abwaschen, um die Rechnung zu ermäßigen. Man verliert keine Zeit mehr mit Fönen, Lockenwicklern, Lockenstab, Wolken von Haarspray, die in der feuchten Luft dahintreiben. Schluss auch mit der Maniküre. Früher zog die Metamorphose sich über Stunden hin. Leicht benommen und erstarrt verließ man den Salon. Heute ist die Angelegenheit in einer Viertelstunde erledigt.

Vor allem darf man nicht in den Tiefen seines Sessels oder in den Windungen eines Gesprächs versinken. Der Gang zum Friseur ist ein flinkes Intermezzo ohne Stimmung, eine ganz kurze Unterbrechung im frenetischen Rhythmus des Tages. Man darf weder Zeit noch Geld verlieren, indem man sich von einem redseligen Figaro verwöhnen lässt, der seine politischen Theorien herniederregnen lässt, während er einem den Schädel mit kräftigendem Haarwasser massiert. Der Friseurbesuch hat nichts mehr mit Luxus und Genuss zu tun, bei dem man Kopf und Körper den Händen des Experten überlässt. Wie Pick and Pay, Take away oder Park and Ride ist das Cut and Go eine neutrale Handlung ohne besonderes Engagement.

Darüber verliert der Friseursalon allmählich seine soziale Funktion. An diesen Ort, geschlossen und diskret wie ein Beichtstuhl, kam man, um sein Gewissen zu erleichtern und die Welt neu zusammenzusetzen. Der Friseur: Vertrauter in der Tragödie, Berater, gelegentlich auch Prügelknabe, ein Echo der eigenen Gedanken. Zwei Schritte abseits lächelte er in den Spiegel und empfing wohlwollend die Seelenqualen, die Rückenschmerzen und die kleinen ästhetischen Kümmernisse. Dreimal mit der Schere geklappert, und die Sorgen waren weg.

Bei den Frauen erfüllte der Friseursalon die gleichen Aufgaben wie das Kaffeekränzchen. Unter der Haubenreihe zogen die Frauen stundenlang über die Nachbarschaft her. Noch in den siebziger Jahren gingen gutbürgerliche Frauen einmal in der Woche zum Friseur. Nie hätten sie daran gedacht, sich selbst die Haare zu waschen, den Kopf über die Badewanne gebeugt. Sie hatten einen festen Termin, an dem sie die Strähnen und den ehelichen Verdruss in Ordnung bringen ließen, an dem der Friseur die kunstvolle Architektur ihrer Haare wieder aufbaute. Hier verbrachten sie den Nachmittag und nannten die Friseurin, immer dieselbe, beim Vornamen. Maryvonne, Solange, Odette ... vor der Globalisierung trugen die französischen Friseusen wunderbar altmodische Vornamen und gehörten fast zur Familie. Sie waren mit rosa Nylonkitteln und orthopädischen Sandalen ausstaffiert. Heute nennen die Friseurinnen sich von Paris bis Berlin Bianca, Jessica oder Samantha. Sie beziehen ihre Vornamen von den Starlets der amerikanischen Fernsehserien. Und mit ihren Tattoos und ihren gebleichten Strähnchen sehen sie alle gleich aus.

KNUTS PAPA

B*erlin nimmt Abschied von Knuts Papa»*, verkündet die «Berliner Zeitung» am Kiosk im Hauptbahnhof. Während ich auf den Zug nach Frankfurt warte, frage ich mich, wie der Papa eines Eisbären wohl aussehen mag.

Vor meinem inneren Auge springt ein Zwitter auf den Bahnsteig. Die untere Partie: ein Eisbär, so weiß wie der erste Schnee im Winter, der obere Teil: ein Mann mit strähnigem Bart und großen verträumten Augen, Typ argentinischer Tangotänzer. Knuts Papa – wie die kleine Meerjungfrau halb Mädchen, halb Fisch, wie der Zentaur halb Pferd, halb Mann, wie die Harpyie halb Vogel, halb abstoßende Frau.

Der Zug fährt ein, und ich komme zu dem Schluss, dass der BZ-Journalist wohl kaum sein Lexikon der griechischen Mythologie konsultiert hat, bevor er diesen herzzerreißenden Bericht über Thomas Dörflein, den Tierpfleger im Zoologischen Garten, verfasst hat. «Knuts Papa» – da spricht eher die Stimme des Herzens, das ist einer dieser sentimentalen Spitznamen, wie Mamas Mäuschen oder Papas Mausebär. Denn in allen Ecken von Berlin findet man Spätzchen, Flöhe, Kätzchen, Häschen ... die deutsche Hauptstadt ist ein gigantisches Tierreservat, in dem tausend verschiedene Rassen leben, und sie alle stammen zu hundert Prozent von menschlichen Eltern ab.

Ich zum Beispiel, von Kopf bis Fuß von menschlicher Gestalt, bin stolze Chefin einer Großfamilie. Ich bin die Mama nicht nur meiner beiden Söhne, sondern auch von Joschi und Frankie, zwei gesunden mongolischen Wüstenrennmäusen, und von etwa dreißig Motten, die zwischen Vorratskammer und Kleiderschrank hin- und herfliegen und sich unsere Haferflocken ebenso schmecken lassen wie unsere Pullover, wobei sie Kaschmir eindeutig bevorzugen. Oh, fast hätte ich meine einsame Tochter vergessen, die Spinne, die in der Badewanne wiedergefunden wurde, und meine Söhne, die Blattläuse, die in den Blumenkästen auf dem Balkon logieren. Vom angeblichen Geburtenrückgang in Deutschland will ich nichts mehr hören!

Man muss nur einmal um den Grunewaldsee joggen, um festzustellen, dass Berlin von Papas und Mamas, die der Erziehung ihrer Sprösslinge höchste Aufmerksamkeit zuteil werden lassen, nur so wimmelt. Vorige Woche unterhielt sich unter herbstlichen Sonnenstrahlen Mephistos Papa mit Pinas Mama. Ein schmerbäuchiger Boxer mit Hängebacken und ein rassiger Pudel spielten im Sand Fangen, während ihre Eltern die Adressen ihrer Tierärzte austauschten. Seit ich einmal wöchentlich den See umkreise, ist mir klargeworden, dass die Hunde immer häufiger menschliche Vornamen tragen. Schluss mit den lächerlichen und banalen Fifi, Lassie und Rex, die jedoch so leicht von der Zunge gingen. Die Hunde heißen Paul und Michael ... wie Kinder. Die Meerschweinchen: Renate und Hildegard ... wie Großmütter. Die Kaninchen: Winston und Helmut ... wie Politiker. Ein Kinderersatz, den man verwöhnt und ausschimpft, mästet und verhätschelt. Am Grunewaldsee spricht man mit den Hunden wie mit kleinen vierpfotigen Menschenwesen. Herrchen Oliver zankt mit seinem abenteuerlustigen Labrador Gregor, weil der sich in das eisige Wasser gestürzt hat. Oliver nutzt die Gelegenheit, an dem armen Tier den ganzen Ärger des Tages auszulassen. «Gregor, zurück!» Seine Stimme ist schneidend scharf wie ein Samuraischwert. Allerdings würde es heute wohl niemand mehr wagen, sein Kind dermaßen anzuschreien. Wie schön, dass man sich gegenüber den Haustieren noch so autoritär aufführen darf. Und als der pitschnasse Gregor sich auf mich stürzt, um sich an meiner Seite trocken zu schütteln, fleht Oliver plötzlich sanft und honigsüß: «Nein, nein, Gregor, Mausebär, lass die Dame in Ruhe!» Auf einmal wird mir schwindlig. Der Grunewald hat sich mit seltsam gekreuzten Kreaturen bevölkert, mit angsterregenden Wesen, mit Monstern. Halb Hund und halb Kind, halb Hund und halb Mausebär ... Ich beschleunige meine Schritte. Und fliehe, so schnell ich kann.

DAS SOFA DER GESCHICHTE

Es ist ein alter französischer Film, den wir uns anschauen, die Kinder und ich, zusammengekauert auf dem Sofa an einem verregneten Sonntagnachmittag in Berlin. Es ist ein Kinderfilm, den ich als kleines Mädchen geliebt habe. Paul, ein kleiner Waisenjunge, macht sich auf die Suche nach seiner verschollenen Mutter, quer durch das besetzte Frankreich. Die Moorlandschaft von Poitiers in Schwarzweiß, das ländliche, friedliche Frankreich. Kinder in karierten Blusen und Baskenmützen, die um vier Uhr nachmittags aus der Schule kommen und fröhlich singen: *Maréchal, nous voilà!* (Marschall, hier sind wir!) Mütter in Schürzen, die die Abendsuppe auftischen. Das Frankreich Préverts und Doisneaus ruht unter dem wohlwollenden Blick von Marschall Pétain. Plötzlich zerreißt ein schwarzer Ledermantel die Bildschirmidylle, eine donnernde Stimme brüllt: «Halt! Stehen bleiben!» Das Klappern von Absätzen und Türen, das Quietschen von Autoreifen auf dem Kies vor dem Waisenhaus. Auf dem Sofa jubeln meine kleinen Jungen: «Maman, die sprechen ja Deutsch!» Sie sind entzückt, dass ihre beiden Sprachen – das Französisch des kleinen Paul und das Deutsch der schwarzen Männer – sich im Film vermischen. Ich dagegen bin wie versteinert. Der Film spielt 1941. Ich hatte diese Episode und den historischen Kontext völlig vergessen. Zu spät, um den Fernseher auszuschalten. Die Gestapo-Männer betreten das Waisenhaus, sie sind auf der Suche nach jüdischen Kindern. Die Kleinen werden in einer Reihe vor der Treppe aufgestellt. Der Gestapo-Chef wählt aus, ohne zu zögern. Der Direktor des Instituts, der sich weigert, die jüdischen Kinder auszuliefern, wird zum Verhör mitgenommen. Auf dem Sofa hagelt es Fragen: «Maman, warum wollen die die Kinder mitnehmen? Was sind Juden? Wie erkennt man die?»

Ich versuche, meine Worte dem Alter der Fragesteller anzupassen. Später, als die Kinder im Bett sind, denke ich über dieses Bild von Deutschland und Frankreich nach, das sich Generationen von französischen Kindern eingeprägt hat. Die Deutschen: brüllende Dämonen. Die Franzosen: vierzig Millionen tapfere Helden, allesamt bereit, der Folter zu widerstehen und ihr Leben zu geben, um diese jüdischen Kinder zu retten. Von der erniedrigenden Kapitulation zu Kriegsbeginn, von der Kollaboration mit den Nazis, vom kompromittierten Vichy-Regime und von den Zehntausenden Juden, die die französischen Behörden an die Gestapo auslieferten, hörten wir erst im Gymnasium. Jacques Chirac war der erste Präsident, der – 1995! – die Mitverantwortung des französischen Staates für die Deportation der französischen Juden anerkannte. Der alte François Mitterrand hatte noch jedes Jahr am 11. November einen Kranz am Grabe Pétains, des Helden von Verdun, niedergelegt. Und die Prozesse gegen hohe Vichy-Funktionäre wie Bousquet und Papon fanden erst in den achtziger und neunziger Jahren statt.

Eine Epoche geht zu Ende. Die Zeugen dieser dramatischen Jahre werden einer nach dem anderen sterben, und beim Sonntagsessen im Familienkreis wird es keine Erzählungen vom Krieg mehr geben. Der französische Großvater wird nicht mehr von der Landung der Alliierten in der Normandie berichten, die deutsche Großtante wird nicht mehr von der Bombardierung Dresdens sprechen. Und für uns Nachgeborene ist der Zweite Weltkrieg schon jetzt eine geschichtliche Insel, die langsam vom Festland abdriftet. Eines Tages wird das alles nur noch ein ferner Punkt am Horizont sein, sehr weit weg, sehr abstrakt. Nur die Kleinen werden weiter mit gesundem Menschenverstand Fragen stellen, die familiäre Mythen durcheinanderbringen und nationale Legenden zerreißen. Und uns kommt die Aufgabe zu, für diese Vergangenheitsfetzen, die die Kinder aufschnappen, wahre und einfache Worte der Erklärung zu finden. Einfach ist das nicht, wenn es eines verregneten Berliner Sonntags, all die Jahre danach, auf einem Sofa plötzlich Fragen hagelt.

KRIEGE OHNE SIEGER

Ein etwas schiefes weißes Kreuz im dichten Moos unterhalb einer kleinen Bergstraße. An seinem Fuß ein Strauß künstlicher Blumen von geradezu entwaffnend schlechtem Geschmack. Vor kurzem ist ein Verwandter vorbeigekommen und hat diesen späten Gruß abgelegt. Der blasslila Fingerhut und die knallgelben Plastiknarzissen leuchten im Halbdunkel und lassen den Wald an dieser Stelle wie einen Vergnügungspark aussehen. Das ist keiner der improvisierten Altäre für ein Unfallopfer, wie man sie an den Brandenburger Alleen so oft sieht. Ein junges Leben, ausgelöscht am Samstagabend auf dem Heimweg von der Disco. Zu viel Alkohol. Zu hohe Geschwindigkeit. Übermut.

Auch Marc Dorval war neunzehn Jahre alt. Nach dem Sturm Weihnachten 1999 traten seine Gebeine am Straßenrand zutage. Eine heftige Bö riss einen Baum um und legte frei, was von Knochen und Schädel noch übrig war und sich mit Wurzeln und der feuchten Erde vermengt hatte. Dank der Dienstmarke, die er am Handgelenk trug, konnte er fast ein Jahrhundert später identifiziert werden. Eine Granate tötete den Jäger vom 27. Regiment am 4. August 1915 auf dem Vogesenpass Linge, wo Franzosen und Deutsche sich von Juli bis Oktober 1915 heftige Schlachten lieferten. Siebzehntausend Tote in drei Monaten. Marc Dorval starb für Frankreich. Sein Tod war ebenso sinnlos wie der all der jungen Franzosen unter weißen Kreuzen, sinnlos wie der all der jungen Deutschen, «gefallen in Treue zur Heimat», unter schwarzen Kreuzen, die im dichten Moos der Vogesen aufgestellt wurden.

«Im Frühjahr kommen die Knochen, die Gewehre und

das Eisen hoch», sagt man im Tal. Die vom Schmelzwasser getränkte Erde speit die menschlichen Überreste aus. Wie verfrühte Champignons sprießen jedes Frühjahr weiße und schwarze Kreuze im Wald, zwischen Heidelbeeren, Farn und Erika. Im Frühjahr kommt die schmerzhafte und komplizierte Geschichte des Elsass hoch.

Im Museum der Schlacht am Lingekopf besichtigt eine französische Schulklasse mit ihrem Geschichtslehrer die Schützengräben. Die Gymnasiasten sind fünfzehn Jahre alt, wenig jünger als Marc Dorval. Sie kommen aus Ribeauvillé, einer kleinen Stadt in der Ebene. Sie sprechen mit Elsässer Akzent. Zweifellos haben ihre Urgroßväter an diesem «Großen Krieg» teilgenommen, den sie bei diesem Ausflug vor Ort studieren. Die deutschen Schützengräben sind einige Meter von denen der Franzosen entfernt. Die deutschen Gräben sind solide gemauert, mit Bunkern und Unterständen. Ihnen hat die Zeit nichts anhaben können. «Die Franzosen haben improvisiert», erklärt der Lehrer und zeigt die schon von der Vegetation eroberten Erdlöcher. «Unsere Jäger mit ihren viel schlechteren Möglichkeiten hatten einen eisernen Willen. Der deutsche Soldat, seit hundert Jahren von einer effizienten Organisation unterstützt, hält sich für unbesiegbar», erklärt ein parteiisches Schild in einer Vitrine.

«Das ist unfair», sagt ein Schüler. «Wir Franzosen sind mit einem Handicap angetreten.» Er spricht wie vom Fußball. Er ist wirklich schockiert und voll Zorn auf «die anderen», «diese dreckigen Boches» mit ihren hässlichen Pickelhauben. Er bewundert die Tapferkeit «seiner» französischen Soldaten in ihren königsblauen Uniformen. Er weiß nicht, dass sein Urgroßvater wie alle jungen Elsässer von 1914 bis 1918 im deutschen Heer gekämpft hat, weil das Elsass seit 1871 deutsch war. Der Lehrer sagt nichts. Auf die Feinheiten der Geschichte geht er nicht ein. Für diese Generation von Elsässern liegt die Geschichte, ihre Geschichte, noch im Vogesenwald begraben.

Es wird Abend. Meine kleinen französisch-deutschen Söhne sind nachdenklich. Ich spüre ihre Zerrissenheit zwischen ihren beiden Nationen. «Wer hat den Krieg eigentlich gewonnen?», fragt der Große. Diese Frage stellen sie mir oft, und die Antwort enttäuscht sie immer. «Einmal hat Deutschland auch gewonnen, und die Franzosen haben den Engel nach Berlin geschickt», fällt dem Kleinen ein, der seine beiden Hälften unbedingt wieder ins Gleichgewicht bringen will. Er bezieht sich auf die Siegessäule und das Gold, das Frankreich als Reparationsleistung gezahlt hat. Die Ehre Deutschlands ist gerettet. Mittwochabend spielt Frankreich gegen Zypern. 4:0 für Frankreich. Am nächsten Tag singen meine Kinder aus voller Kehle die Marseillaise und die Fußballhymne «Deutscher Meister», als sie an den weißen und schwarzen Kreuzen vorbei zum schmalen Felsplateau des Lingekopfs gehen. Für diese Kinder gibt es keine nationalsozialistischen Gräben mehr. Die Geschichte findet endlich wieder ihre Harmonie.

DER FALTIGE CHARME DES AVUS

West-Berlin stirbt. Von Kranzler und Möhring ist nicht viel mehr als zarte Nostalgie geblieben. Die Berlinale hat den Zoo-Palast gegen den funktionellen Supermarkt Potsdamer Platz eingetauscht. Der Bahnhof Zoo ist zur Endstation für Bummelzüge degradiert. Nur die Wasseruhr und das Europa-Center halten sich noch wacker. Und Gott allein weiß, wie lange in den Theatern am Kurfürstendamm noch alte Damen mit mauvefarbenen Dauerwellen in den Pausen Himbeerbowle schlürfen werden.

Oh, ihr Melancholiker, hört doch auf, euch Sorgen zu machen! Ein Frühstück im Rasthof Avus genügt, um das alte West-Berlin wiederauferstehen zu lassen! Hier hat es die Wiedervereinigung auch nach all den Jahren noch nicht geschafft, die Ordnung der Dinge durcheinanderzubringen. Fern sind das hippe Friedrichshain und das quirlige Mitte. Wie eine vom Festland abgeschnittene Insel bewahrt der Rasthof ohne alle Komplexe seine zeitlose Identität. Irgendwann zwischen den fünfziger und den achtziger Jahren haben hier die Uhren zu ticken aufgehört. Die Inneneinrichtung sieht aus wie Requisiten in einem Siebziger-Jahre-Tatort, der in der miefigen westdeutschen Provinz spielt. Namen wie «Bosch» und «Schultheiß» flankieren die Betonrotunde wie Zierblumen des Wirtschaftswunders, auf dem Dach prangt der Mercedes-Stern. Im Rasthof Avus ist West-Berlin noch immer der stolze Schaukasten des bundesrepublikanischen Kapitalismus.

Overalls und Lederblousons, goldene Halsketten und Käppis, Marlboro und Bild-Zeitung, Phil Collins und RTL, der Duft von Scheuermittel und von Duschgel mit Mandarinenaroma, Strammer Max und Toast Hawaii, Malteserkreuz-Aquavit und Nordhäuser Doppelkorn, Toll-Collect-Maschinen und Geldspielautomaten der Marke «Big Risc» ... Welche Rolle spielt es, dass die verwaisten Avus-Tribünen voller Graffiti sind? Welche Rolle spielt es, dass «die schnellste Rennstrecke der Welt» von Verkehrspolizisten kastriert wurde, die hier Lärmschutzzonen einrichteten und Tempo 80 verhängten? Im Rasthof Avus ist die Ära der Boliden noch nicht zu Ende. Morgens um neun können sich hier die Fernfahrer, diese bescheidenen Cowboys der europäischen Autobahnen, für Rudolf Caracciola, Manfred von Brauchitsch und Hermann Lang halten, die frühen Helden des goldenen Grand-Prix-Zeitalters.

Mit seinen fünf übereinandergetürmten Betonebenen sieht der Rasthof aus wie eine englische Hochzeitstorte. Eine halbe Stunde lang bin ich rotiert wie ein Brummkreisel, um den Eingang zu finden. «Das Avus-Motel liegt verkehrsgünstig!», verspricht eine Werbebroschüre. In der Tat! Über meinen Filterkaffee gebeugt, studiere ich die blaulackierten Fingernägel der Kellnerin und das Kettchen mit dem Toilettenschlüssel, das ihr aus der Tasche hängt. «Erzähl mir wat!», befiehlt sie mit fröhlich-mütterlicher Autorität, als sie meine Bestellung aufnehmen will. Der Klomann ist genauso fordernd: «Machense schnell», befiehlt er grinsend, «von halb zwölfe bis fünfe mach ick Mittag.» Wenn der Cerberus nicht an seinem kleinen Tischchen sitzt, über den ein gänseblümchengemustertes Wachstuch gespannt ist, muss man sich den Schlüssel bei der Kellnerin mit den indigofarbenen Fingernägeln abholen.

«Hier ist die Aussicht am besten!» Zwei Trucker beobachten die Lkw-Karawane, die unter dem Fenster vorbeirauscht. Auf der anderen Seite der Autobahn, an der Außenwand der

Messehalle, hängt ein großes, knallbuntes Plakat: «Erlebe den Mythos Griechenland! Mit Dir in der Hauptrolle! Jetzt buchen!» Eine braungebrannte Frau, das Gesicht im Schatten eines Sombreros verborgen, küsst einen Mann, der sie umarmt. Ringsherum feiner Sandstrand, im Hintergrund der Parthenon, hoch oben die Sonne. Der Kontrast zum Panorama-Restaurant könnte kaum größer sein: Ringsherum schmutziger Schnee, im Hintergrund der Funkturm, hoch oben nichts als grauer Himmel. Und ich verspüre keinerlei Bedürfnis, von dem Apollo mit der Vokuhila-Frisur, der am Tisch neben mir seine Frikadellen verschlingt, in die starken Arme genommen zu werden. Verdammt, was mache ich bloß hier? Ich will gerade flüchten, als eine Postkarte neben der Kasse meine Aufmerksamkeit erregt: «Schöne Grüße aus Berlin! Berlin, auch Spree-Athen genannt, ist in der ganzen Welt bekannt. Kein and'rer Ort auf dieser Welt verspricht so viel – wie er auch hält.» Welch Hochmut! Welch entwaffnende Selbstüberschätzung! Plötzlich überkommt mich zärtliche Zuneigung für meine Adoptivstadt mit ihrem leicht ordinären Charme und für dieses zerbrechliche West-Berlin, das so tapfer und anachronistisch um sein Überleben kämpft.

KAFFEE IST LEBEN!

Es ist ein Moment der Gnade. Wenige schwebende Minuten am Beginn des Vormittags. Eine kontemplative Minipause. Ein Atemholen ... bevor man sich widerstandslos vom Sturmwind des Tages davontragen lässt. Der kleine Morgenkaffee, le petit café du matin, ist ein geheiligtes Ritual. Manche kippen ihren Espresso ristretto, den Ellbogen auf die Theke gestützt, den Körper schon angespannt, damit sie schnell wieder fortkommen. Andere nehmen sich ein paar Minuten und setzen sich. Man hat das warme Bett eben erst verlassen und ist noch nicht bereit, sich vom Stress des beginnenden Tages anketten zu lassen. Die Kinder sind in der Schule, und bis zum ersten Termin ist es noch Zeit. Also ein wenig Müßiggang, man darf verweilen. Mit Bedacht wird der richtige Tisch gewählt, möglichst immer derselbe, in einer geschützten Terrassenecke, aber von der Sonne gut gesprenkelt. Jeden Morgen derselbe Blick auf die erwachende Stadt. Auf dem Bürgersteig vibriert das Leben. Berlin eilt in seine Büros. Ein Genuss, diese Zwischenzeit. *«Einen Espresso bitte!»*

Der Kellner stellt Tasse mit Untertasse auf das Tischchen. Vor dem Trinken noch einen Augenblick verharren. Man könnte anfangen, sich in die Akten zu vertiefen oder sich der täglichen Pflichtübung unterwerfen und den Aufmacher im Feuilleton der FAZ lesen, aber für intellektuelle Verrenkungen ist es zu früh. Allenfalls ein nicht allzu komplizierter und vor allem nicht allzu langer Artikel. Oder einfach das Vergnügen, am selben Tisch wie gestern und morgen zu sitzen. Der kleine Tisch am Bürgersteig ist eine einsame Insel, von der Menge leicht abgesetzt, ein strategischer Ort, von dem aus sich das Theater der Straße beobachten lässt. Man lässt die Gedanken schweifen. Von einem morgendlichen Traum wird man weit weggetragen, der Blick ist abwesend, die Augen glänzen. Der ganze Körper entspannt sich. Und plötzlich ergreift man den Tassenhenkel und schüttet den «kleinen Schwarzen» entschlossen hinunter. Zuerst schmeckt man den sanften Schaum, dann den leicht bitteren Kaffee und die letzten Zuckerkristalle auf dem Grund der Tasse. Eine halbe Stunde später wird das anregende Koffein das letzte Gähnen verscheucht haben. Nur nachtaktive Berliner können den morgendlichen Kaffee langsam schlürfen. Sie bestellen sich eine Riesentasse Milchkaffee. Und bleiben oft bis zum Mittag am selben Tisch kleben.

Der kleine Morgenkaffee hat mit dem 11-Uhr-Kaffee nichts zu tun. Diese beiden Rituale haben ganz unterschiedliche Funktionen. Der frühe Kaffee wird einsiedlerisch und schweigend getrunken. Man ist einen Moment für sich, ohne sich zu unterhalten, ohne genaues Ziel, ohne höflich oder tüchtig sein zu müssen. Eine Freiheit, die man sich gönnt, ohne irgendjemanden um Erlaubnis zu bitten. Fast eine anarchische Abschweifung in der strikten Tagesplanung. Beim Kaffee um 11 Uhr ist man gesellig. Man trinkt ihn in Gemeinschaft. Er ist im Tarifvertrag festgelegt. Diesen Kaffee trinkt man im Büro. Er ist gefährlicher als der Morgenkaffee. Denn an der Kaffeemaschine im Flur lösen sich die Zungen, werden andere ins Vertrauen gezogen, Abteilungsverschwörungen ausgeheckt. Vorbei ist es mit der Thermoskanne Filterkaffe, den Töpfchen mit Kaffeesahne und den drei trockenen Keksen auf einem Teller. Eines der unbestreitbaren Verdienste der Globalisierung liegt darin, dass Espressomaschinen ihren Einzug in mittelständische deutsche Firmen gehalten haben. Die Flexibilität eines Unternehmens, seine Fähigkeit, sich der Welt zu öffnen, zeigt sich an der Espressomaschine, die in der Teeküche brummt. Allerdings tritt in den Tempeln der New Economy der grüne Tee in Konkurrenz zum schwarzen Kaffee. Eine englische Freundin teilt ihre Bekannten in drei Kategorien auf: Da sind zum einen die Leute für das Abendessen, die interessantesten und sozial am ergiebigsten, für die man auch mal einen Nachmittag in der Küche zubringt, um eine richtige Mahlzeit zuzubereiten. Dann gibt es die Leute fürs Mittagessen, mit denen man sich im Restaurant trifft, an einem öffentlichen Ort, um über Geschäfte, einen Vertrag zu sprechen. Man schätzt ihre Gesellschaft, möchte ihnen aber keinen Zugang zur Privatsphäre gewähren. Und es gibt die «coffee people», die zu nichts nutze sind, die Langweiler, die Lästigen, zu denen man nicht offen nein sagen kann. Man trifft sie um 11 Uhr morgens zu einer schnellen Tasse Kaffee. Eine Verabredung, die zwischen zwei wichtigere Termine gequetscht wird. Man muss sich nicht in Entschuldigungen ergehen. Man kann nach zwanzig Minuten aufstehen und gehen, ohne gegen die Anstandsregeln zu verstoßen. Die dergestalt aufgeteilte Menschheit lässt sich leichter verwalten. Der Espresso um 11 Uhr kann einem wirklich aus der Klemme helfen.

WO FÄNGT MAN BESSER DEN TAG AN?

Mit ihrem majestätischem Schatten taucht die Kuppel des Panthéons die kleinen runden Tische auf der Terrasse des «Café Rostand» in morgendliches Halbdunkel. Brutal wird der Boulevard Saint Michel von gellenden Schreien aus dem Schlaf geweckt. Der Renault-Lieferwagen des Elektrikers Roger Lartigue hat das Fahrrad eines Büroangestellten gestreift und im Vorbeifahren die Stahlklammer gelöst, mit der der bürgerliche Velozipedist die Bügelfalte seiner Hose schützt. Die anschwellende Vormittagshitze bringt die Atmosphäre zum Sieden. Roger Lartigue und der Büroangestellte liefern sich einen fulminanten Schlagabtausch französischer Flüche.

Zur gleichen Zeit liegt das «Café M» zu Füßen des bodenständigen Backsteinglockenturms der Sankt-Matthias-Kirche noch im Schlaf. Ernst Meyer, der Chef einer Kanalbaufirma, ist versöhnlicher gestimmt als Roger Lartigue. Er hat Verständnis dafür, dass die hässlichen, verbeulten Blech-Container, die er entlang dem Bürgersteig aufgereiht hat, nicht gerade zum Wohlsein der Gäste des «Bistro Rahu» beitragen, eines indischen Imbisses, in dem mit Stolz Warsteiner zum Curry serviert wird. Ernst Meyer und der Imbissinhaber haben ihren Konflikt friedlich beigelegt. Rahu hatte die Idee, Christo zu kopieren. Und Meyer hat Rahu erlaubt, seine Container mit mauvefarbenen Seidentüchern und Goldpaletten zu umhüllen. Meyer stört es nicht einmal, dass seine Container jetzt aussehen wie die schwülen Kabinen eines orientalischen Bordells. Und Rahu serviert seine eisgekühlten

Lassis im Klein-Bombay der Goltzstraße nun mit doppeltem Elan.

Das «Rostand» in Saint-Germain und das «M» in Schöneberg. Paris und Berlin. Um die Seele einer Hauptstadt zu dechiffrieren, gibt es keine bessere Beobachtungsplattform als die Sommerterrasse eines Cafés zur Frühstückszeit. Paris ist eine Stadt, in der vom frühen Morgen an der Stress regiert. Auf dem Bürgersteig vor dem «Rostand» schnappen Jogger und Walker nach abgasverpesteter Luft. Dazwischen afrikanische Kindermädchen, die blasse Kinder an der Hand hinter sich herziehen, Geschäftsleute, die an ihre Handys gekettet sind, Straßenkehrer, Müllwagen, Solexe, Taxis, überfüllte Busse. Der Lärm ist höllisch, die Spannung fühlbar. Am Ende der Straße flattert eine schlaffe Trikolore erschöpft im Wind.

Vor dem «M» weht keine Flagge, stattdessen prangt an der gegenüberliegenden Fassade ein bunter Reigen antinationalistischer Graffiti, direkt neben dem Lego-Dino-Kuscheltiere-Schaufenster des Kinderladens «Schnuppe». Auf der Terrasse sitzen Nachtschwärmer mit Dreitagebärten, die ihre Füße mitsamt fluoreszierenden Flip-Flops lässig auf die Café-Stühle gelegt haben. Berlin ist eine langsame Stadt, die erst gegen Nachmittag wirklich aufwacht. Alle drei Minuten fährt ein Auto an der Terrasse vorbei, die enge Straße ist auf Tempo 30 getaktet. Ein Strom aus Tätowierungen und nackten Bauchnabeln wogt auf dem Bürgersteig. Als plötzlich ein überschwänglicher Salsa aus den Lautsprechern sprudelt, bewegen die Café-Gäste auf ihren Aluminiumstühlen gemächlich die Hüften und klopfen mit den Zehen den Takt. Die Terrasse des «M» ist ein trunkenes Schiff, das jeden Morgen zu einer lasziven Kreuzfahrt aufbricht. Der gutgelaunte Kellner – offenes Knitterhemd über weißem Ripp-Shirt, gelverwuschelte

Haare – verteilt zwanglos Müsli, Rühreier und Schwarzbrot, mit denen die Gäste ihre Mägen für den Tag zementieren.

Im «Rostand» servieren derweil makellos geschniegelte Kellner aus Sri Lanka in schwarzen Hosen und weißen Hemden mit blasierter Geste luftige Croissants und leichte Butterbrote – symbolische Nahrung, die man zu sich nimmt, während man auf das Mittagessen wartet. Auf ihren Gesichtern deutet sich erst dann der Schatten eines eisigen Lächelns an, wenn sie auf einem kleinen Zinnteller die Rechnung bringen. Mit seinen Marmortresen, Kristalllüstern und Spiegeln mit reichverzierten Holzrahmen stellt das «Rostand» eine selbstsichere Schönheit zur Schau. Es ist ein altehrwürdiger Existenzialistentempel am Ende des Boulevard Saint Michel. Das «M» dagegen ist weder schön noch in der Geschichte verankert. Aber es hat einen undefinierbaren Charme, eine natürliche Entspanntheit. Es ist zufällig hier gelandet, in einer unbedeutenden Straße, als West-Berlin noch die alternative Hauptstadt des ordentlichen Wirtschaftswunder-Deutschlands war. Die Mauern sind buttergelb gestrichen, die Tische abgewetzt. Wo fängt man besser den Tag an? In einem Szene-Café mit minimalistischem Dekor oder in einem Haus mit Tradition? Berlin oder Paris? Schwer zu entscheiden, so früh am Morgen.

DIE DROGE SPARGEL

Kann man stolz sein, ein Deutscher zu sein? Nachdem ich all die Jahre in diesem Land verbracht habe, löst die Frage bei mir inzwischen beunruhigende körperliche Reaktionen aus: Atemnot, Pulsrasen, rote Flecken im Gesicht, zitternde Knie, Würgen im Hals, vernebeltes Hirn. Mit anderen Worten: Ich kann's nicht mehr hören! Jeder kennt die Litanei der Selbstkasteiung, die dieser Frage unweigerlich folgt: Unser Humor ist tollpatschig, der Wetterbericht zum Heulen, die Gesellschaft kinderfeindlich et cetera. Und überhaupt, wie soll man stolz sein auf die zweifelhafte Leistung, in diesem oder jenem Land geboren zu sein? Die Selbstverleugnung kennt keine Grenzen.

Jedenfalls dachte ich das immer. Bis ich letzten Samstag über den Markt schlenderte. Aus der dichten Menschenmenge drang plötzlich eine laute Stimme an mein Ohr, selbstsicher, ohne die Spur eines Zweifels: «Auf keinen Fall Ausländische nehmen! Die Deutschen sind die besten, bessere gibt's auf der ganzen Welt nicht.» Die Italienischen sind zu süßlich, die Französischen haben keinen Geschmack, die Holländischen verdienen nicht einmal eine Erwähnung. All jene mythischen Nachbarn, auf die die Deutschen sonst ihren Glauben an das Anderssein projizieren, ihre Vorstellungen von gutem Geschmack und Savoir-vivre – alles wie weggefegt an diesem Morgen um 10 Uhr vor der Matthias-Kirche. Ich traue meinen Ohren nicht. Wovon redet dieser Mensch? Wer könnte mit einem Handstreich alle Minderwertigkeitskomplexe dieser Nation in Rauch aufgehen lassen? Welche Kreatur verfügt über eine solche Gabe der Absolution? Vorsichtig nähere ich mich.

Aus einer Holzkiste ragen die zarten weißen Köpfe des ersten Beelitzer Spargels hervor. Ein Markthändler in Birkenstock-Sandalen und Naturwollsocken hält eine feurige Predigt über die auf der Zunge zergehende Magie seiner Spargelstangen, seiner kleinen Zöglinge aus dem märkischen Sandboden. Leidenschaftlich beschwört er die kilometerlangen Beete und das gute Wasser Berlins, preist die gesunden Bitterstoffe, die den fleischigen Stämmen eignen. Dann lässt er eine Kaskade phallischer Witze sprudeln, die die komplette Warteschlange zum Erröten bringt. Wir warten, bis wir an der Reihe sind, den Korb in der Hand. Und als der Spargelmann beiläufig erwähnt, dass «der liebe Gott die Frau zum Schälen geschaffen hat», überzieht ein Schauer emanzipierter Empörung unsere kleine Gesellschaft.

Am Folgetag werde ich auf dem Pariser Platz Zeuge einer merkwürdigen Prozession. Eine Spargel-Pyramide, sorgsam auf einen Handkarren gestapelt, passiert würdevoll das Brandenburger Tor, umkreist zeremoniell den gesamten Platz und kommt vor den Fenstern der französischen Botschaft zum Halten. Kein ausländischer Staatschef könnte effektvoller Unter den Linden auftreten. Die ersten Beelitzer Spargel zeigen sich und lassen sich bewundern.

Lange habe ich versucht, ein französisches Äquivalent für den Beelitzer Spargel zu finden. Aber weder die Cavaillon-Melonen noch die bretonischen Artischocken, schon gar nicht der Beaujolais Nouveau (eine kommerzielle Attrappe, um Ausländer mit billigem Rotwein abzufüllen) markieren so präzise den Übergang von einer Saison zur anderen. Keine Suppe, keine Sauce hollandaise, die jetzt nicht mit Spargel serviert würde. Den ganzen Mai über steht Berlin unter der kollektiven Wirkung einer Droge.

WILLKOMMEN IN BERLIN!

«Ne, det is Ihr Problem!», herrscht mich der Busfahrer an, der uns vor dem Flughafen Schönefeld erwartet. Ich habe ihn gerade gefragt, welche Möglichkeiten wir haben, zu dieser späten Stunde nach Hause zu kommen. Mitternacht ist vorbei. Es ist stockfinster. Ein eisiger Regen hat uns bis auf die Knochen durchnässt. Weit und breit kein Taxi. Nur dieser große, schlechtgelaunte Bus. Er steht für die in London Gestrandeten bereit.

Wir etwa hundert Passagiere haben den neuen Terminal 5 von Heathrow überlebt. Einige haben auf den Sitzbänken liegend zwei Tage auf ihren Flug nach Berlin gewartet. Andere waren bereit, ohne ihr Gepäck abzufliegen. Mein Sohn und ich haben ausgedehnte Spaziergänge in diesem mit obszönem Luxus und kapriziöser Effizienz ausgestatteten Flughafen gemacht, wo man Austern von Oléron und schottischen Lachs bekommt, die Flugzeuge jedoch Ewigkeiten auf dem Rollfeld faulenzen.

«Sorry, love», sagte uns die Hostess, als sie uns mitteilte, dass unser Flug eine mehrstündige Verspätung hatte. Und dabei zog sie eine so verzweifelte Grimasse, dass wir glaubten, sie werde gleich in Tränen ausbrechen. «Und sie nennt dich ‹meine Liebe›?», fragte mein Sohn beunruhigt. Ich erklärte ihm, dass «love» ein bisschen wie «junge Frau» auf Berlinerisch ist. «Ja, also ganz jung bist du auch nicht mehr, love!», rief da der kleine Kavalier.

Spät in der Schönefelder Nacht glauben wir, das Schlimmste überstanden zu haben. Den Koffer in der Hand und mit nur wenigen Stunden Verspätung sind wir zurück in der Heimat, in diesem Deutschland, wo immer noch fast alles im Ruf steht, makellos zu funktionieren. Allerdings haben wir die legendäre Berliner Liebenswürdigkeit vergessen. «Ne, det is Ihr Problem!» Die Antwort saust herunter wie ein Fallbeil. Eine Dreiviertelstunde müssen wir auf die Abfahrt des Busses warten. «Vielleicht een bisschen länger. Weeß ick doch nüch, wann alle Passagiere durch sind!» In Berlin gilt eine ganz besondere Etikette: schnörkellos, ruppig, direkt. Da weiß man wenigstens, wo man steht: allein in der großen Berliner Nacht, janz weit weg von seinem warmen Bett.

Die Freundlichkeit der Engländer dagegen ist irritierend. Man muss in den Straßen von London nur einen Stadtplan auseinanderfalten, und schon stürzen sich mindestens drei Passanten auf einen und würden einen am liebsten ans Ziel begleiten, damit man sich auch wirklich nicht verläuft. In einer Woche Buckingham Palace – London Eye – Madame Tussaud's haben wir uns schnell an das mit honigklebriger Stimme geäußerte «Thank you very, very much ...» gewöhnt. Und als wäre das noch nicht genug, lassen die Londoner noch ein «indeed» und eine lange Pause am Satzende folgen. Dieses kleine Wort kann man auf Deutsch oder Französisch nicht wiedergeben, es soll einfach nur das «danke schön» verstärken, ihm Volumen, Glaubwürdigkeit verleihen, vielleicht auch Sanftmut ... Indeed ... das ist das Berliner «wa!». Denn das Berlinerische kennt keine blumigen Floskeln, keine Arabesken der Höflichkeit, von denen einem schwindlig wird. Wa und basta.

Die Grobheit der Pariser ist allgemein bekannt, und es wäre naiv, wollte man in den gestressten Metropolen unserer Zeit Höflichkeit erwarten. Doch wenn man in Berlin lebt, gewöhnt man sich sehr schnell an die flegelhafte Behandlung. Ich störe mich nicht mehr an der Hornhaut auf den Wörtern, am Stirnrunzeln, an den genervten Seufzern bei der harmlosesten Frage. In München habe ich immer den Eindruck, dass die Leute etwas von mir wollen. Der milde Ton kommt mir verdächtig vor. Ich bin erstaunt, ich drehe mich um: Kennen wir uns? Habe ich heute vielleicht Geburtstag? Warum plötzlich so freundlich? Ich bin auf der Hut.

Aber was wäre Berlin, würde es den Knigge befolgen? Berlin ohne seine raue Schnauze? Plötzlich, mitten in der Nacht, von einem Busfahrer angerüffelt wie eine Kriminelle, werde ich von masochistischer Zärtlichkeit überwältigt. Willkommen in Berlin!

PEEPSHOW FÜR DIE OHREN

Es war einmal eine Zeit, als man sich Liebeskummer, Unterleibsschmerzen und den Kleinkrieg im Büro leise flüsternd mitteilte. Eine Zeit, als das Privatleben sich in einem gutgeschützten und vertrauten Raum abspielte. Eine Zeit, als das Schamgefühl noch eine Tugend war.

Heute stellt man freiwillig die intimsten Bereiche zur Schau. An dem Gemeinschaftstisch in der Sushi-Bar, wo ich gern zu Mittag esse, habe ich schon so manches Mal bedauert, dass ich mir nicht Ohropax mitgebracht hatte, um mich vor den unerwünschten Indiskretionen zu schützen. Nicht einen Moment darf man ganz für sich seine Ingwerscheibchen knabbern, ein wenig in der Zeitung blättern, vor sich hin träumen, einfach abschalten. Nein, das Aufeinanderhocken zwingt Ihnen das Gespräch des Paares auf, das – ohne «Guten Tag» zu sagen – am Tisch Platz genommen hat. Diese Woche etwa wurde ich zur Zeugin einer ehelichen Foltersitzung. Sie, mit vorwurfsschwerer Stimme: Nie setzt du dich abends mit einem Buch hin. Er, sehr demütig: Du weißt genau, dass ich mich beim Fernsehen besser entspanne. Sie, schneidend wie eine englische Gouvernante: Na gut, aber wann hast du das letzte Mal ein Buch ganz gelesen? Er, in Vorahnung des aufziehenden Sturmes, mit hängenden Schultern und starrem Blick auf seine Reisschale: Du hast ja recht, mein Schatz. Sie, kämpferisch: Mit Literatur entspannt man sich eher als mit Dieter Bohlen! Er, entschlossen, sich nicht alles gefallen zu lassen: Ja, aber beim Fernsehen entspanne ich mich besser. Etc. ... Etc. ... Durch die großen Glasfenster beobachte ich einen hässlichen kleinen Hund und sein Herrchen, die gerade vorübergehen. Ich versenke den Blick in die Zeitung. Ich verschicke eine SMS. Ich huste leicht. Ich räuspere mich. Ich gebe mich geschäftig. Ich tue so, als ob ich nichts höre.

Schrilles Läuten seines Telefons. Sie, entrüstet: Wer ruft denn jetzt in der Mittagszeit an? Er, kleinlaut, in Erwartung eines Hagels von Vorhaltungen: Oh, entschuldige. Er weiter, jetzt fast zitternd: Ich habe völlig vergessen, dass ich heute Mittag verabredet war. Sie, eisig: Wie kann man sich nur am Freitagnachmittag verabreden? Ich, unfähig, es noch eine Minute hier auszuhalten: Die Rechnung, bitte! Ich muss sofort die Flucht ergreifen, sonst stopfe ich meiner Tischnachbarin die Essstäbchen in den Rachen, damit sie endlich den Mund hält. Wenn ich daran denke, dass es in den Restaurants früher Séparées gab, kleine abgeteilte Nischen, Paravents und Vorhänge, um die Gespräche vor neugierigen Ohren zu schützen. Ich hätte Lust, die beiden in eine Kammer zu sperren, abgeschottet vom Rest der Welt, und den Schlüssel zweimal umzudrehen.

Genau dasselbe in den Großraumbüros. Auf diesen nackten Flächen, lang wie Landepisten, gibt es keine Rückzugsmöglichkeiten. Für mich wird Willy Brandts Tod auf ewig mit einer langen Erklärung zur Bratzeit eines Hähnchens verbunden sein. Es war in Paris im Jahr 1992. Ich saß an meinem Rechner im Großraumbüro meiner Zeitung und versuchte, den Nachruf auf den großen Staatsmann zu Ende zu bringen. Währenddessen bereitete am Schreibtisch nebenan meine Kollegin mit ihren Schwestern ein großes Familienpicknick vor. «Ich versichere dir, Dominique, eine Stunde bei 150 Grad, das reicht für das Hähnchen!» Und in meinem Kopf vermischte sich alles. Die Ostpolitik und das Brathähnchen. Der Kniefall in Warschau und der Reissalat. Der Friedensnobelpreis und der Schokoladenkuchen. Natürlich hätte ich einen Helm aufsetzen und mit Willy Brandt auf eine Insel des Schweigens fliehen können. Aber ich hatte an dem Tag keine Lust, wie ein Astronaut auszusehen.

Die großen Spanner unserer Zeit sind die Handys. Ihnen verdanken wir die urbane Kakophonie, die unaufhörliche auditive Peepshow. Mit dem Ohr direkt am Gerät spricht man laut und denkt nicht daran, dass rundherum alle das Gespräch mitbekommen. Im Zug müssen wir an allem teilhaben, Küsschen, Küsschen, ich liebe dich, du fehlst mir, nochmal Küsschen, dazu das anzügliche Glucksen des Herrn auf dem Platz hinter uns. Gestern früh auf einer Café-Terrasse die durchdringende Stimme einer jungen Frau: «Ja, Frau Bollinger, ich sitze ganz still in der Sonne und genieße die Ruhe. Schießen Sie los!» Für mich war Schluss mit der Ruhe! Frau Bollinger hatte eine Menge zu erzählen. Wie ganz Berlin übrigens in diesen sonnigen Tagen.

SOMMER

ALBTRAUM FEWO

Seit einer Woche reise ich durch die Kleinanzeigen, weit, sehr weit von Berlin weg. Ich streife durch Chalets, Landhäuser und FeWos. Die Alpen, die reine Luft, Frankreich ... das wird uns guttun.

FeWo ... diese Verkleinerungsform war mir von Anfang an suspekt. Zu verniedlichend, zu harmlos, viel zu verschwommen. Schlimmstenfalls klingt sie nach Betrug, bestenfalls nach erstickender Gemütlichkeit. Nachts träume ich schon davon: Verstaubte Tüllgardinen schlingen sich um meinen Hals und erdrosseln mich, Armeen von Nippes stürzen sich auf mich. Zierdeckchen, Trockenblumensträuße, Häkelkissen auf Samtsofas nehmen mir die Luft zum Atmen. Über meinem Bett wirbelt eine Degas'sche Balletttänzerin in ihrem vergoldeten Rahmen auf Zehenspitzen, sie droht das Gleichgewicht zu verlieren und meinen Schädel zu durchbohren. Mir platzt der Kopf. Ich schrecke hoch. Ein Albtraum. Eine FeWo suchen, das bedeutet, dass man ganz tief in die Abgründe von Kitsch und Spießigkeit hinabsteigt. Die FeWo verspricht eine Menge: phantastische Aussicht, Luxusmöblierung, Marmorbadezimmer, absolute Ruhe, garantiertes Glück. Eine Ausstattung wie für einen Promi. Ein Leben wie ein Traum. All inclusive.

Doch häufig folgt die brutale Ernüchterung. Ich erinnere mich an die Wohnung mit «Panoramablick» auf einer griechischen Insel: Das Fenster ging auf eine Betonwand. Wenn man sich auf die Zehen stellte, konnte man ein Fragment des Ägäischen Meeres erspähen. Und erst das Gründerzeithotel am polnischen Ostseestrand nach dem Fall der Mauer. Die weit geöffneten Fenster gingen aufs Meer ... und auf die Belüftungsanlage der Küchen. Nacht für Nacht mischte sich der Geruch nach altem Bratfett mit der Meeresbrise.

In den vergangenen Wochen habe ich mehrfach einen Rückzieher gemacht: Nein, wenn das so ist, dann bleiben wir eben zu Hause. Denn während ich mich mit der Machete durch den Dschungel von Blümchen und Spitzendeckchen kämpfe, wiegt sich der Lorbeer auf dem Balkon sanft im Sommerwind. Keine Wolke. Kein Geräusch. Der Liegestuhl öffnet seine hölzernen Arme. Auf dem Tisch wartet ein Buch. In der Ferne der Turm einer Backsteinkirche. Gelegentliches Glockenläuten. Wozu der ganze Stress? Wozu verreisen, wenn das Paradies 15 Meter über der Straße liegt?

Im Sommer weht der Wind der Freiheit über allen Großstädten. Doch von den europäischen Hauptstädten sieht Berlin am meisten nach großen Ferien aus. All diese Seen in Brandenburg, die man doch unbedingt entdecken wollte ... Das Schlauchboot, das man noch nicht in das dunkle Wasser des Müggelsees gelassen hat ... All die Museen, deren Besuch man sich das ganze Jahr über vornimmt. Aber die Sonntage gehen vorüber, und nie hat man Zeit. Ich beneide diejenigen, deren Leben nicht an die Schulferien gekettet ist. Sie können wegfahren, wenn alle anderen wieder zu Hause sind. Ende September ist das Mittelmeer so weich. Aber im August ist der Wannsee doch am schönsten.

Die Zeitungen warnen unablässig vor Staus. Vielleicht müssen wir die Nacht im Auto verbringen, eingezwängt zwischen Koffern und Wanderschuhen? Im Radio fragte diese Woche ein besorgter Vater den Dermatologen, der Hörerfragen beantworten sollte: «Womit soll ich meinen fünfjährigen Sohn als Erstes einschmieren, mit Sonnencreme, Mückenspray oder Zeckenlotion?» Ich stelle mir das arme Kind vor: dick bestrichen wie ein Nutella-Brot. «Und wenn er in die Sonne geht, bekommt er immer einen Hut mit einer breiten Krempe und vor allem ein T-Shirt!», fügte der Vater eifrig hinzu. Um ihn ein wenig aus der Fassung zu bringen, würde ich ihm am liebsten zurufen: Haben Sie an die allergischen Reaktionen gedacht und an die Wespenstiche und an die Vipernbisse? Und die Zeckenzange haben Sie sicher auch vergessen, mein Herr!

In ein paar Wochen werden wir Urlauber heil und gesund nach Berlin zurückkehren. Wir werden die Autobahn, die Zecken und sogar die FeWo überlebt haben. Der Sommer wird vergangen sein. Wir werden keine Zeit mehr für die Museen haben. Und noch weniger für den Liegestuhl und das Buch. Der Lorbeer wird nicht mehr blühen. Aber auf einem Alpengipfel werden wir die Unendlichkeit der Welt gesehen haben. Ganz plötzlich wird der Balkon uns eng vorkommen, Berlin ein bisschen provinziell. Wir werden den Kopf so hoch tragen wie die großen Forschungsreisenden.

KOFFERPACK-NEUROSE

Heute startet ganz Berlin in die Ferien. Wer in der verlassenen Stadt zurückbleibt, wird Parkplätze direkt vor der Tür finden. Wer verreist, wird mit den Staunachbarn auf der Autobahn ins Gespräch kommen können.

Jedes Jahr falle ich auf dem Beifahrersitz in den Schlaf der Gerechten. Ich bin völlig ermattet. Ich kriege nichts mehr mit. Diese Kolumne ist sicher nicht der ideale Ort, um ganz persönliche Neurosen auszubreiten, und ich kann mich auch nicht für journalistischen Exhibitionismus erwärmen. Deshalb habe ich mein Geheimnis jahrelang sorgsam gehütet. Am Abend vor jeder Abreise habe ich gegen Windmühlen gekämpft, die ich doch nie besiegen konnte: meine Koffer. Das ging so lange, bis ich hier und da aufgeschnappt habe, dass das Kofferpacken viele Menschen seelisch belastet.

In den letzten Tagen habe ich in meiner Umgebung eine kleine empirische Erhebung durchgeführt, und dabei ist mir schnell klargeworden, dass die Menschheit in zwei Hälften zerfällt: Da gibt es die Glückseligen, die vom Reisefieber verschont bleiben. In zehn Minuten packen sie ihr Köfferchen, schlagen die Wohnungstür zu, stecken den Schlüssel in die Tasche und machen sich pfeifend auf den Weg zu ihrem neuen sommerlichen Leben. Diese Menschen erklären Ihnen mit heiterem Lächeln: Mir macht es nichts aus, zehn Tage lang dieselbe Hose zu tragen! Ein Fettfleckchen sieht auf hellem Stoff doch richtig nett aus! Das gehört zu den Ferien einfach dazu! Und sicher treffe ich unterwegs einen gütigen Sankt Martin, der mir einen Pullover leiht, falls das Wetter doch mal schlecht wird! Mit Frohsinn im Herzen und Frieden in der

Seele machen sie sich auf die Reise. Am Abend davor laden sie noch ein paar Freunde zu sich nach Hause ein. Der Abwasch kann bis zur Rückkehr warten, es lebe das Abenteuer.

Und dann gibt es die anderen: Das Kofferpacken quält sie, sie sind unruhig, unentschlossen, fürchten das Schlimmste: Sturm, Temperatursturz, mondäne Cocktailpartys mit sehr striktem Dress-Code und den ekelhaften Fettfleck auf der hellen Hose, der einem mit Sicherheit den Urlaub versauen wird. Schon seit Tagen gibt ihr Zustand Anlass zur Sorge. Sie sind Opfer eines zwanghaften Rituals: erst mal alles rauslegen, danach packen. Nach drei Tagen stapelt sich der ganze Inhalt des Kleiderschranks auf dem Sofa. Die Wohnung sieht aus wie der Verkaufsstand eines Stoffhändlers im Souk von Marrakesch. Und nun beginnt der Teufelswalzer: rauslegen. Nein, doch nicht das. Wieder falten und in den Schrank zurückpacken. Aber ... bei näherem Hinsehen: Das rote Sommerkleid ist so praktisch, wenn die Sonne scheint. Und dieser Pulli, den ich ganz vergessen hatte und seit zwei Jahren nicht mehr getragen habe ... Also wieder rauslegen, auf dem Sofa ausbreiten und so weiter. Dieses Spielchen kann man Stunde um Stunde treiben.

Eine andere Taktik ist das Listenschreiben, bevor man den Schrank stürmt. Das Gegengift derjenigen, die das Übel an der Wurzel packen wollen. Eine sehr ordentliche kleine Liste, und schon hat man das Reisefieber im Griff. Jedes Jahr nimmt man die Standardliste zur Hand, und dieselben Kleidungsstücke werden in derselben Reihenfolge eingepackt, ganz egal, wohin man fährt. Das rote Sommerkleid kommt mit, mag das Ziel Nizza oder Alaska heißen. Und dann gibt es ja noch die Checkliste aus der «Apotheken-Umschau», für die Reiseapotheke. Die ADAC-Liste für das Verhalten bei Unfällen, Krankheit oder Notfall-Rücktransport. Die Liste für die verlassene Wohnung: Wer bekommt die Schlüssel? Wer gießt die Blumen? Wer leert den Briefkasten? Wer füttert das Meerschweinchen? Sind die Zeitungen abbestellt? Die Picknickliste: Wasser, Sandwiches, Decken, falls man die Nacht im Autobahnstau verbringen muss. Unendlich ist die Palette der Möglichkeiten. Bis in alle Ewigkeit kann man Unwägbarkeiten voraussehen und Katastrophen verhüten.

In diesem Jahr habe ich eine neue Strategie ausprobiert: den Koffermarathon. Gestern Nachmittag habe ich mir den Wecker gestellt. Genau eine Stunde zum Packen. Zahnbürste. Zwei Hosen. Zwei Röcke. Ein dicker Roman. Dring. Dring. Fertig. Die Reise fängt an. Und heute Morgen pfeife auch ich im Auto. Kaum sind wir um die Ecke gebogen, da habe ich Berlin schon vergessen, genau wie mein rotes Kleid, das sehr glücklich ist, weil es auf dem Bügel im Schrank hängen bleiben durfte. Ja, ich fühle mich wie ein Astronaut, der den Zustand der Schwerelosigkeit erreicht hat. Ganz leicht. Die schweren Schränke, diese überflüssigen Klamotten, all diese belastenden Dinge habe ich zurückgelassen. Der Sommer wird lang sein, die Tage voller Überraschungen, der Horizont unendlich. Alles ist möglich.

SECHS ROSA MUSCHELN

«Ach tatsächlich, aus Berlin kommen Sie also!» Irgendwie klingt der Satz wie ein Vorwurf. Ein Hauch von Ekel weht über den Strand, gepaart mit einem Schuss diffuser Angst. Als die Bewohner des benachbarten Strandkorbs am ersten Tag der Ferien erfuhren, dass wir in Berlin wohnen, hatte ich das sichere Gefühl, dass sie mit verdoppeltem Fleiß und energischen Schaufelstößen die Mauern ihrer Sandburg so hoch wie möglich aufschütteten, um eine Art hygienischen Schutzwall zwischen uns zu errichten.

Wäre da nicht der süße Duft von Sonnencreme und das sanfte Geräusch von Bocciakugeln auf nassem Sand gewesen, ich wäre den Eindruck nicht mehr losgeworden, drei Wochen auf dem Grund eines Schützengrabens am Strand der Normandie zu verbringen. Berlin, das wurde mir in diesem Sommer eindrücklich klar, ist für die Mehrzahl der Deutschen ein städtischer Kadaver im Stadium der Verwesung, zerfressen von sämtlichen Lastern der Menschheit: Prostituierte, die in lückenloser Formation die Bürgersteige säumen, Heroinhandel auf unschuldigen Schulhöfen, Kampfhunde, die in U-Bahn-Unterführungen angreifen, eine Russenmafia, die der Stadt ihre blutigen Gesetze diktiert, Politiker, die entweder korrupt oder homosexuell sind (was für die Leser von «Bild» das Gleiche sein dürfte). Ein Riesenmoloch, bevölkert von fetten, aggressiven, mürrischen Proleten ohne jede Eleganz. Nach all den Jahren seit der Wiedervereinigung haben viele Deutsche noch immer nicht gelernt, ihre neue Hauptstadt zu lieben. Schlimmer noch: Sie haben Angst von ihr.

«Also, wir kommen ja aus der Nähe von Bielefeld», versichern mir unsere Strandkorbnachbarn hastig, und es klingt wie eine Jungfräulichkeitserklärung. Ich weiß nicht, ob ich unter Halluzinationen leide oder ob der Speckgürtel von Bielefeld die dichtbevölkertste Region Deutschlands ist, aber es kommt mir vor, als sei diesen Sommer die Hälfte des Strandes von Urlaubern aus der Nähe von Bielefeld in Beschlag genommen. «BIELEFELD!» haben unsere Nachbarn mit kleinen Muscheln auf die Nordflanke ihrer Burg geschrieben. Ein kleiner Perlmutt-Altar für das Paradies auf Erden, aus dem ein grausamer Gott sie für drei Wochen in diese erzwungene Strafkolonie zwischen Dünen und Gezeiten verstoßen hat. Für mich war Bielefeld bis jetzt nichts als ein Bahnhof, an dem der ICE einige Minuten Aufenthalt hatte und den ich dann ohne irgendwelche Neugier am Fenster des Zugrestaurants vorbeiziehen sah.

Beschämt über meine Ignoranz und überzeugt davon, am achten Weltwunder vorbeigelebt zu haben, stürze ich mich nach meiner Rückkehr in Berlin auf meinem «Petit Robert», den französischen Brockhaus. Auf Seite 230 logiert Bielefeld zwischen Bielaïa Tzerkov (in der Nähe von Kiew) und Bielgorod (in der Nähe von Charkow). Bielefeld: drei müde Zeilen ohne jeden Enthusiasmus. Kirche aus dem 14. Jahrhundert. Renaissance-Rathaus. Wichtiges Industriezentrum. Geburtsstadt von F. W. Murnau. «Wer sich nicht von pittoresken Straßenbahnen verzaubern lässt, riskiert von Bielefeld enttäuscht zu werden», schreibt mein «Guide Bleu», der die Stadt mit keinem Stern würdigt. Nichts, was mir wirklich Lust machen würde, beim nächsten Mal aus dem ICE zu springen. Auf der Michelin-Karte versuche ich, «in der Nähe von Bielefeld» ausfindig zu machen. Das Paradies liegt eingequetscht zwischen einem orangefarbenen Strang Autobahn und einem dichten Netz aus gelben und weißen Linien. Ich stelle mir die Einfamilienhäuser und das Karomuster der identischen Straßen vor, wie von meinen Nachbarn in den Sand gemalt, die Anordnung der Mülleimer, die Fahrradwege, die Tennishallen und den grünen Ozean der Golfplätze.

Ein Glück, dass ich vor unserer Rückkehr nach Berlin Vorsichtsmaßnahmen getroffen habe. Sechs glatte rosa Muscheln liegen in meinem Strandbeutel bereit. Nächstes Jahr werde ich BERLIN! auf unsere Burg schreiben.

EUROPA, DEINE STRANDMÖBEL

Jeder europäische Strand hat sein spezifisches Mobiliar, aus dem sich Schlüsse über die Strandbenutzer ziehen lassen. Englische Strände zum Beispiel sind karg und wenig einladend. Kaum hat man sein Handtuch auf den spitzen Kieseln ausgebreitet, bricht auch schon ein Platzregen los, der einen die Flucht zu den viktorianischen Piers antreten lässt, diesen langen Fingern aus weißen Holzbohlen, die den Ärmelkanal säumen. Dort, zwischen einarmigen Banditen, rosa Zuckerwatte und kleinen Orchesterbühnen, spielt sich der wahre englische Sommer ab. Es sind altmodische und etwas triste Orte, diese Piers. Sie riechen nach lauwarmem Regen, essiggetränkten Fish & Chips und Melancholie.

Von der scheinbaren Prüderie italienischer Strände sollte man sich nicht täuschen lassen! Die kleinen, wie Zwiebelhäute aneinandergereihten Umkleidekabinen aus Holz haben eine doppelte Funktion. Ihr offizieller Zweck besteht darin, die Badenden beim Umziehen vor Blicken zu schützen. Drinnen kann man seinen Mini-Bikini perfekt in Form zupfen, um dann mit theatralischer Geste die Tür aufzustoßen und hüftschlendernd eine exhibitionistische Show an der Wasserkante aufzuführen. Der geheime Sinn der Kabinen wird gerne in neorealistischen italienischen Filmen aufgedeckt: Den katholischen Landbewohnern dient die kleine Holzumkleide als Ort für Initiationsriten. Unbeholfene Heranwachsende pressen sich in der feuchten Hitze dieser Isolationszellen an die üppigen Brüste furchteinflößender Matronen.

Keine falschen Schlüsse bitte: Der deutsche Strandkorb mag zwar mit seiner Holzarchitektur an die italienische Umkleidekabine erinnern, aber damit hört der Vergleich auch schon auf. Der Strandkorb ist eine tugendhafte, solide und pragmatische Konstruktion. Seine Erfinder haben an alles gedacht: Es gibt eine Halterung, an der man die Sonnenbrille aufhängen kann, eine Leine zum Trocknen der Badetücher, ein Tablett, auf der die Thermosflasche platziert wird, eine Fußstütze und einen verstellbaren Sitz, mit dem man dem Wind ausweichen oder sich optimal der Sonne aussetzen kann. Gleichzeitig ist der Strandkorb eine Art Truhe, in der alles verstaut wird, was man für den Aktivurlaub am windigen Nordseestrand so braucht: Schaufeln, Harken, Schlagball-Keulen, Bocciakugeln. Schirmt man den Strandkorb dann noch mit einem Sandschloss nebst Burggraben vom Rest der Welt ab, wird er zur uneinnehmbaren Festung: ein paar Quadratmeter Privateigentum in der demokratischen Weitläufigkeit des Sandes. Man kommt sich vor wie in einer Einfamilienhaussiedlung: Jedem sein Eigenheim, perfekt geschützt vor den Blicken der anderen. Der Strandkorb ist wie ein Schneckenhaus, aus dessen Innerem sich die Weite des Horizonts noch viel besser genießen lässt – ein Kokon der deutschen Gemütlichkeit.

Völlig anders die Kombination aus Strandmatten und Sonnenschirmen an der Côte d'Azur. Mit ihren langen, rechtwinkligen Reihen sehen die französischen Strände aus wie Schlafsäle in Internaten. Man wird förmlich zur Promiskuität gezwungen. Ohne es zu wollen, liegt man plötzlich neben einem dicken Herrn in Hawaii-Shorts, der übelriechende Zigarillos raucht.

Die Schirm-und-Matte-Kombination verpflichtet zum meditativen, kollektiven Ferienverhalten. Um zehn Uhr morgens bestellt man einen kleinen Kaffee. Mittags, wenn die Sonne ihren Zenit erreicht, verschlingt man ein autobuslanges

Sandwich und eine halbe Wassermelone. Die Kunst besteht darin, durch Drehungen des Sonnenschirms die Dichte der UV-Strahlen auf der Haut so zu dosieren, dass die resultierende Bräune möglichst gleichflächig wird. Mögen die Deutschen ruhig von Strandkorb zu Strandkorb ernste Gedanken über Kindererziehung, die schwierige Beziehung zwischen Mann und Frau und den desolaten Zustand ihres Landes austauschen! Wenn der Franzose erst mal wie ein römischer Imperator auf seiner Matte liegt, wird sein Hirn weich wie eine Kugel Vanilleeis in der Sonne der Provence. Man döst, man lässt sich einlullen vom sanften Klatschen der Wellen, vom Rascheln der Oleanderbüsche und dem Zirpen der Heuschrecken. Wäre ja auch Selbstmord, bei 40 Grad im Schatten über existenziellen Fragen zu brüten. Allerhöchstens rafft man sich zu einem leichten Plausch oder einem unschuldigen Flirt mit dem Nachbarn auf, der in etwa einem Meter Entfernung vor sich hin döst. Zugegeben: Die französische Schirm-und-Matte-Kombination wirkt ein wenig dekadent im Vergleich mit dem kleinen Strandkorb, der im Norden Europas so tapfer allen Versuchungen trotzt.

DER AUFSTAND DER DICKEN BOHNEN

Ein ekstatischer Schauer durchläuft die Warteschlange vor der Ladentheke des Gemüsehändlers. Sechs Augenpaare starren mich nostalgisch an. Ein kollektiver Seufzer, gefolgt von gerührtem Schweigen. Hätte der Verkäufer mir ein Stück Haschisch in den Korb gelegt, wäre ein Engel durch den Laden gegangen oder hätte Marilyn Monroe im Bikini das Geschäft betreten, um ein Bund Porree zu kaufen – die Reaktion der kleinen Versammlung hätte genau gepasst.

Dabei habe ich nur zwei Kilo dicke Bohnen für das Mittagessen verlangt. «Dicke Bohnen», murmelt meine Nachbarin am Rand der Tränen. Sie gibt ein seltsames Glucksen von sich, zwischen Lust und Ohnmacht. Ein sonderbares Geräusch, frohlockend und traurig zugleich. «Dicke Bohnen», ruft ein Herr mit Barbourjacke, Typ unparteiischer Rechtsanwalt, der dieser Art von Herzensergüssen, noch dazu in der Öffentlichkeit, wenig abzugewinnen weiß. Dieser sehr respektable Herr ist dabei, vor einer Steige Gemüse die Contenance zu verlieren: «Meine Großmutter hatte sie im Garten. In den Supermärkten findet man sie überhaupt nicht mehr. Seit Jahren habe ich keine gegessen», ereifert er sich mit zitternder Stimme und glühenden Augen.

Mit einem Schlag erwecken die gekrümmten Schoten der Dicken Bohnen, wie sie da in ihrer Steige durcheinanderliegen, tausend ferne Erinnerungen: der Eintopf, der auf kleiner Flamme schmort, der Garten der Großmutter, die Frauen, die die Bohnen in gemütlicher Geselligkeit miteinander enthülsen. Eine hat sich die Schüssel zwischen die Schenkel geklemmt, die anderen werfen die von ihrer Hülle befreiten Bohnen hinein. Man erzählt sich den neuesten Klatsch und Familiengeheimnisse. Dicke Bohnen enthülsen, das ist wie Kaffee mahlen oder Brotteig kneten – verschwundene Bewegungen, langsame Bewegungen, die von der Beschleunigung der Zeit davongetragen wurden. Dicke Bohnen sind für die Deutschen das, was Prousts Madeleine für die Franzosen bedeutet: Auslöser von Erinnerungen, Katalysator für Gefühle, eine fast magische Art, die Vergangenheit noch einmal zu erleben, ihr Gestalt, Geruch, Geschmack zurückzugeben. Nun brauchen Sie sich nicht zu schämen, weil Sie vielleicht meinen, Dicke Bohnen seien im Vergleich zu unserer edlen proustischen Madeleine trivial ... betrachten Sie doch nur ihr glattes Oval, ihr zartes Grün, wenn sie ihrem groben Gehäuse entschlüpfen. Dicke Bohnen sind so hübsch, so delikat ... tausendmal eleganter als ihr hässlicher Name. Die Kunden im Gemüseladen sind diesem regnerischen Sommermorgen jetzt weit, weit entrückt. Sie haben sich um vierzig Jahre verjüngt. Die beinahe in Ohnmacht gefallene Dame hat Sommersprossen. Der seriöse Anwalt hat kurze Hosen.

Plötzlich erwacht unsere kleine Gesellschaft aus ihrer träumerischen Benommenheit. Zwischen den Kartoffeln und den letzten Kirschen des Sommers steigt Zorn auf. «Ach», schreit die Dame, die innerhalb weniger Minuten zur leidenschaftlichen Rebellin geworden ist. Sie erhebt sich gegen alle, die die Dicken Bohnen verachten, gegen die, die in ihnen nur ein alltägliches, gewöhnliches und schwerverdauliches Gemüse sehen. Und schon bläst sie zum Angriff gegen Zucchini und Artischocken, all diese affektierten Gemüsesorten, die von weit her gekommen sind und die Dicken Bohnen ermordet haben. Aber der wahre Schuldige in diesem Drama ist der Rucola, dieses als piekfeiner Salat verkleidete Unkraut, das der rechtschaffenen Petersilie den Todesstoß versetzt hat und sich in sämtlichen deutschen Schickimicki-Gerichten breitmacht.

Der Inhaber des Gemüseladens berichtet der Kundschaft, dass Steckrüben rar und begehrt sind. Nachts werden ganze Felder geplündert. Die Räuber kommen in Lastwagen und nehmen die ganze Ernte mit. Am folgenden Morgen findet der Bauer nur noch eine Wüste vor. Die Diebe verkaufen ihre Beute auf dem Markt. Man stelle sich einmal diese Mafiosi der Steckrübe vor, wie sie, die Gesichter hinter Strumpfmasken verborgen, nachts durch die Felder robben, um ein paar Knollen auszugraben. Eindeutiger Beweis, dass diese lange Zeit verachteten Gemüsesorten ihre Würde wiedergefunden haben. Im Laden tobt der Aufstand der Gerechten. Jetzt können die Roten Bete ihre Köpfe erheben. Die Schwarzwurzeln gewinnen ihr Selbstvertrauen zurück. Stolz drückt der Spitzkohl die Brust heraus. «Tod dem Rucola!», skandieren die Steckrüben, bereit, in den Krieg zu ziehen. «Wir sind wieder wer!», schreien die Dicken Bohnen hinter der Ladentheke.

GEWITTER

Ob man mit Badelatschen Auto fahren darf. Ob mehr als drei Eier pro Tag jesund sind. *«Eier sind mer nechts!»*, sagt Frau Schultze und zupft am Gummi ihrer Jogginghose. Ob der – *wie heißt denn det neuer Franzose* – Shikosi? Ob Nicolas Sarkozy jute Politik macht. Die Tage ziehen vorüber, die Zeit dehnt sich ins Unendliche, manchmal eine Wolke am Himmel und ein Traktor auf der Straße. Der Lärm einer elektrischen Säge in der Ferne. Ein Hund, der bellt. Auf der Türschwelle spalten die existenziellen Fragen die brennende Luft des brandenburgischen Sommers. Während die Stadtneurotiker in Berlin in ihrem überhitzten Kochkessel umherwanken, wartet man in einem Dorf im Oderbruch darauf, dass die Stunden vorübergehen. Von Zeit zu Zeit eine aufgeregte Regenbö. Ein Gewitter zerreißt den Himmel.

In vorigen Jahren standen die Vogelgrippe, die Überschwemmungen, die Dürre und Angela Merkel auf der Tagesordnung unseres kleinen Parlaments, das sich auf dem Fußweg selbst gewählt hat. Dieses Jahr: Blitz und Donner. Sturm und Hagel. *«Es est necht mehr normal, wa!»*, tobt Herr Schultze. Er ist violett angelaufen vor Zorn. Ganz allein kämpft er gegen die globale Klimakatastrophe. Er hat seine Kaninchen in Sicherheit gebracht und für sein Auto ein Schutzdach gebaut. Bei diesem unbeständigen Wetter geht er nicht angeln. Auf dem Bildschirm in der Stube der Schultzes befragt Frank Elstner vier Prominente, die auf einem viersitzigen Sofa aufgereiht sind wie Hähnchen am Spieß. Was soll man bei Gewitter tun?, lautet die Quizfrage. A. Weglaufen. B. In die Hocke gehen. C. Sich auf dem Boden ausstrecken. D. Sich ins Wasser werfen. *«A!»*, sagt Herr Schultze. *«B!»*, sagt Frank Elstner. Plötzlich erscheinen große graue Flocken auf dem Bildschirm. Das Gewitter nähert sich. Adieu, du makellose graue Föhnfrisur von Frank Elstner. Adieu, ihr 60 Sender, die die Satellitenschüssel auf dem Dach in die Stube kippt. Auf ihrem Zweisitzersofa sehen die Schultzes jeden Abend das wahre Leben von der ARD.

Nachbarin Karin Brandt führt ihre beiden Pudel an der Leine. Karin Brandt ist vor Schultzes Haus stehen geblieben. Bei Gewitter wäscht Karin Brandt sich nicht. Ihre Badewanne steht direkt vor dem Fenster. Der Duschstrahl könnte einen durchreisenden Blitz anziehen. *«Wenn der Blitz einschlägt ...»*, sagt Karin Brandt verängstigt. Ich stelle mir vor, wie Karin Brandt aufgefunden wird, nackt und tot, in ihren Duschvorhang eingewickelt. Vom Blitz erschlagen. *Psycho* in einem Badezimmer im Oderbruch. Auf Karin Brandts Haus steht kein Blitzableiter. Deshalb verlässt sie sich auf den nahen Kirchturm, der sie schützen soll. *«Ich lege mein Schicksal in die Hände des Allmächtigen!»*, sagt sie ergriffen. Herr Schultze findet, man sollte sich lieber nur auf sich selbst verlassen: *«Schlafen Sie doch im Auto, wenn Sie ganz sicher sein wollen, dass Ihnen nichts passiert!»* Mit angezogenen Beinen auf dem Rücksitz schlafen und hören, wie der Hagel auf das Dach trommelt ...

«Im Jahr 1981 hat ein 15-minütiger Hagelschauer Schäden von Hunderten Millionen Dollar verursacht», sagt das Radio. Herr Schultze denkt an sein Konto auf der Sparkasse im Nachbardorf. Frau Schultze sagt *«Au weia»* und zupft am Gummi ihrer Jogginghose. Aus Berlin erreichen uns apokalyptische Nachrichten: überflutete Keller, überlastete Feuerwehrleute, scheußliche Geysire, die aus der Kanalisation sprudeln. Wie kleine Flöße treibt Hunde- und Menschenkot über die idyl-

lischen Seen des Grunewalds. Ratten kommen aus den Kellern. Hysterie. Panik. Wir fühlen den nahen Tod. Wir stehen im Kreis auf der Schwelle und lassen die Panik hochsteigen wie Mayonnaise. *«Ach watt! Det Haus ist doch 120 Jahre alt»*, sagt Herr Schultze. Und die Linde, die sich über das Haus beugt wie eine Mutter über die Wiege ihres Kindes, ist noch älter. Seit mehr als 100 Jahren ist noch nie was passiert. Wieso soll der Blitz ausgerechnet heute Nacht hier einschlagen? Das stimmt, warum sollte Zeus ausgerechnet das Oderbruch wählen? *«In Eberswalde ist das Jewitter schon weg!»*, sagt Frau Schultze und hängt ihr Handy ein. Ob det nächste Jewitter heute noch vor sechse kommen wird?

DIXI-LAND

Im Stehen gegen eine Mauerecke zu pinkeln, mitten in der Stadt, am helllichten Tag, das gehört für die Deutschen ins Reich der mediterranen Folklore, genau wie Wäscheleinen an italienischen Häuserfassaden und Frösche in Knoblauch auf französischen Tellern. Ein vollkommen abstoßendes, aber gleichzeitig faszinierendes Ritual. Was dem Franzosen ein männlicher Befreiungsakt ist, eine gesunde Selbstbestätigung, ein einfaches, einsames Vergnügen, davor schaudert es den Deutschen bloß, da sieht er nur vulgäre Sitten, Perversionen von Machos, Instinkte von unzivilisierten Wilden. Ein Verstoß, den sich die Deutschen nicht erlauben. Aus diesem Grund huldigen sie dem Dixi-Kult.

Dixi ... wer hat diesen Namen erfunden, der seinem Gegenstand so wenig angemessen ist? Ein Name, der besser in einen Western-Saloon passen würde oder zu einer Peepshow-Kabine. Ein etwas anrüchiger Name. Ein Name, der nach Unterwelt, Alkohol, Schlüpfrigkeit klingt. Ein für ein öffentliches Pissoir entschieden zu phantasievoller Name. Einen Kreuzzug gegen Dixi-Klos müsste man in Berlin beginnen. Sie sind überall: vor dem eingerüsteten Haus am Ende meiner Straße, ein paar Meter weiter an der Kreuzung, auf Parkplätzen, selbst vor dem Reichstag, wo der Urin von acht Millionen Besuchern pro Jahr gesammelt werden will. An jeder Straßenecke hat der hygienebesessene Senat kleine blassblaue Kabinen aufgestellt, die in ihrer diskreten Art an Beichtstühle erinnern. Als wären 3,5 Millionen Berliner von chronischer kollektiver Inkontinenz betroffen.

Das Dixi-Klo prägt die Berliner Landschaft wie Briefkästen

und Telefonmasten: eine urbane Ikone. Zuverlässig begleiten die Dixis jede deutsche Massenversammlung. Sie waren es bestimmt auch, die die großen pazifistischen Kundgebungen auf der Bonner Hofgartenwiese einrahmten. Stets kommen sie als Erste an, noch vor der Flut der Demonstranten, und stets gehen sie als Letzte, zusammen mit den Kehrmaschinen. Sie halten die ecstasygeladenen Raver der Love Parade davon ab, im Tiergarten anarchistisch in die Begonien zu pinkeln. Sie waren die ersten kapitalistischen Eroberer, die ihren triumphalen Einzug in die DDR hielten, noch vor der D-Mark und der Marktwirtschaft, noch vor «Taste the West», Beate Uhse und der Sparkasse. Und hätten die Deutschen Krieg mit Mesopotamien angefangen, zweifellos hätten sie auf ihren Panzern Dixi-Klos mitgenommen.

Naiv glaubte ich, man könne den Dixis entkommen, indem man einfach aus Berlin flüchtet. Die Landschaft an den Ufern der Oder, so dachte ich, stellt großzügig Millionen von Sträuchern und Büschen zur Verfügung, an denen natürliche Bedürfnisse befriedigt werden können. Das Dixi-Klo wäre überflüssig, ein urbaner Luxus, aus dem kommunalen Fenster geworfenes Geld. Aber als ich morgens in dem kleinen Dorf Bollenberg meine Tür öffnete, blickte ich nicht auf weite Flure unberührter Natur, sondern auf ein unverschämtes Dixi-Klo, das direkt vor meiner Nase stand.

Es gibt in Bollenberg keine Kneipe, keine Bäckerei, keinen Lebensmittelladen, nicht mal einen eigenen Pfarrer für die Kirche. Aber Bollenberg hat sein eigenes Dixi-Klo. Es dominiert das ganze Dorf und nimmt die nobelste Stelle für sich in Anspruch – den Schlossplatz. Drei Säufer, der pommersche Bauer vom Ende der Straße und vier ein bisschen kurz geratene Skinheads sind die treuen Benutzer dieses «Clochemerle», der Latrine der Moderne.

SIMONE DE BEAUVOIR IN PRENZLBERG

Schluss mit dem verkannten Schriftsteller, der von der Welt abgeschnitten in seiner Mansarde haust, begleitet allein von seinem Trübsinn und seinem Wälzer. Schluss mit dem Dichter im Absinthrausch, der bei geschlossenen Vorhängen und verriegelter Tür einsam in seiner düsteren Kammer hockt. Der Schriftsteller von Prenzlberg schafft sein Werk unter den Augen der Öffentlichkeit, bei Tageslicht an einem kleinen runden Tisch auf einer Café-Terrasse, Flip-Flops an den Füßen, den Nabel im Freien.

Es heißt, dass Prenzlberg pro Quadratkilometer die größte Schriftstellerdichte der ganzen Republik aufweist. Um 10 Uhr früh rattern unter den Platanen bereits die Laptops. Vergleichbar einem Zugabteil, ist das Café ein öffentlicher und zugleich anonymer Ort, wo man ungestört schreiben und sich doch der anregenden Gegenwart anderer Menschen erfreuen kann. Simone de Beauvoir hatte das Café Flore. Das Haar unter ihrem berühmten Turban verborgen, saß sie auf einer Bank und erfand auf ihrem Schreibblock das Paar noch einmal. Auch Anna Seghers ging zum Schreiben in ein Pariser Café. Sie floh vor ihren Kindern und der häuslichen Unruhe. Das Exil gehört zu den produktivsten Zeiten in ihrem Leben. In sieben Jahren Café verfasste sie vier Romane. Zum Schreiben, sagte Virginia Woolf, braucht man einen *room of one's own*.

Und dieser Raum kann auch eine Café-Terrasse sein, wenn man fähig ist, seine Umgebung zu vergessen. Anders als eine Bibliothek erstarrt das Café nicht in lähmendem Schweigen.

Es ist nicht wie die eigene Wohnung ein Ort der Versuchung, an dem die Dämonen einen umschleichen wie den heiligen Antonius in der Wüste: ein Anruf, eine Maschine Wäsche, eine Unterhaltung mit der Nachbarin von Balkon zu Balkon, ein Buch, in dem man nur etwas nachschlagen will, in das man sich aber am liebsten stundenlang versenken würde. Im Café tobt das Leben um einen herum. Die Kellnerin serviert ein monumentales Frühstück. Am Nebentisch küsst sich lustvoll ein Paar, und ein Autobus namens «Schwabenland» gleitet die Straße entlang. Hinter den getönten Scheiben starren einen 35 gierige Augenpaare an. Die Rentner aus Villingen-Schwenningen besuchen die Hauptstadt, den Zoo.

«Du, ich habe noch relativ viel an der Backe mit dem Drehbuchschreiben», erklärt eine junge Frau, die an ihrem Handy und ihrem Croissant mit Erdbeerkonfitüre hängt. Es ist jetzt elf Uhr. Sie ist noch nicht ganz wach, doch schon fühlt sie, wie die schöpferische Bedrängung in ihr hochsteigt wie die Sonne am Zenit. Die Verschlafene hat unter ihrem linken Spaghettiträger eine tätowierte Margerite und auf dem Kopf eine Che-Guevara-Mütze. Ihre Stirn ist umwölkt, ihr Blick auf den Bildschirm geheftet, der so blau ist wie der Himmel über Berlin. Sie schreibt eine Szene über die Trennung eines Paares. Anne verlässt Sven in der Lychenerstraße. Sven zieht in die Kollwitzstraße. In Prenzlberg geht es nicht darum, sich mit der Neuerschaffung der Welt abzuplagen. «Wer schreiben will, muss sehen können», sagt der Prospekt der Drehbuchwerkstatt ein paar Türen weiter. Der Intensivkurs «Von der Idee bis zum Script» für Filmautoren dauert neun Monate. Man stelle sich Fassbinder und Truffaut vor, wie sie Montag bis Freitag von 14 bis 18 Uhr nebeneinander wie fleißige Schüler in dem Kursraum sitzen, den man von der Straße aus sieht.

Es fehlt nur eine Gauloise und ein *petit noir*, und schon

könnte man sich ins Saint Germain des Prés der fünfziger Jahre versetzt glauben. Doch die Simone de Beauvoir von Prenzlberg bevorzugt einen lauwarmen Latte macchiato und eine Holunder-Bionade. Voltaire, so erzählt Rousseau, trank täglich 40 Tassen Kaffee, um *«wach zu bleiben und um nachzudenken, nachzudenken, nachzudenken, wie der Kampf gegen Tyrannen und Dummköpfe zu führen sei»*. Und Balzac, der am liebsten im Bett schrieb, nahm angeblich 50 000 Tassen Kaffee zu sich (die erste morgens um drei Uhr), als er «Die menschliche Komödie» schrieb. *«Schwarz wie die Hölle, stark wie der Tod und süß wie die Liebe muss der Kaffee sein»*, so ein türkisches Sprichwort. Wie hätte wohl Rastignac ausgesehen, wenn Balzac in Flip-Flops unter einer Platane in Prenzlberg einen koffeinfreien Latte macchiato aus Sojamilch geschlürft hätte?

PÉTANQUE AM GOLDENEN HIRSCH

Das viele Boulespielen hat ihn umgebracht!» So hieß es im Familienkreis über meinen Großonkel Julien. Onkel Julien war Bürgermeister eines winzigen Dorfes in Südfrankreich, auf einem Gipfel zwischen der Durance und den ersten Rundungen der Alpen gelegen. Seiner festen Überzeugung nach gehörte es zu seinen Pflichten als Bürgermeister, sich an jeder Partie Boule zu beteiligen, die auf seinem Herrschaftsgebiet gespielt wurde. Nach jedem Wurf klopfte Onkel Julien Germain, Louis und Félicien auf die Schulter und nahm einen ordentlichen Schluck Pastis. Auf diese Art pflegte er den Kontakt zu seinen 456 Untertanen, eine Vision der «partizipativen Demokratie», wie sie in der heutigen Zeit en vogue ist.

Nach Spielende ging Onkel Julien mit dem Bewusstsein nach Hause, dass er seine Pflicht erfüllt hatte. Tante Mireille hatte eine Drosselpastete und gefüllte Täubchen vorbereitet, um die sportlichen Großtaten ihres Helden zu feiern. Mit ihren feinen dunkelroten Äderchen erinnerte Onkel Juliens enorme Nase an eine Vase aus chinesischem Porzellan. Seine Hüften waren ein wenig fragil, und seinen monumentalen Bauch trug er stolz vor sich her. Im Übrigen erklärte er mit einer gewissen Genugtuung, man brauche für das Boulespiel keine Tarzanmuskeln. Onkel Juliens Stimme war sonnig, seine Gesundheit eisern.

Mitten im Herzen von Berlin habe ich Onkel Juliens Klone gefunden. Sogar der herbe Geruch der Platanen war da und der von fiebrigen Füßen aufgewirbelte Staub, und fast könnte ich schwören, dass ich bei Einbruch der Nacht das Zirpen der Grillen gehört habe ... Unter dem goldenen Hirsch, der am Eingang des Volksparks röhrt, findet sich ein kleines Universum à la Pagnol. Die Berliner spielen Boule. Sie kommen abends vom Büro direkt hierher. Es ist warm geworden. Berlin gibt sich dem verführerischen Rhythmus der Sommerabende hin. Gut, Karl-Heinz, Henning und Gerd haben nicht viel Ähnlichkeit mit Germain, Louis und Félicien. Kein Strohhut, keine Espadrilles, keine Hosenträger, keine Kippe im Mundwinkel. Einer trägt eine paramilitärische Hose und klobige Sportschuhe, ein anderer eine blumige Tätowierung auf dem Bizeps, an den Füßen Flip-Flops. Und offensichtlich verbietet der deutsche Bouleverband Alkohol während des Spiels. Ich frage mich allerdings, ob mein Großonkel Julien sich so stark für die Republik eingesetzt hätte, wenn er nach jedem Wurf einen Schluck lauwarmes Mineralwasser hätte trinken müssen. Ich bin mir auch nicht sicher, ob eine Tante Bärbel in ihrer Berliner Küche ungeduldig auf die Rückkehr ihres Mannes wartet, um ihn mit Schweinebuletten und Hackepeterstullen zu verwöhnen.

Vorbei sind die gesegneten Zeiten, als die Männer unter sich waren. Einer der großen Erfolge der Frauenbewegung ist die Gleichberechtigung auf dem Terrain des Boulespiels. Unter dem goldenen Hirsch sind auch Frauen, an der Seite ihrer Männer. Eine trägt goldene Ballerinas und ein T-Shirt mit der Aufschrift «The aim of design is to define space». Eine Botschaft, die Onkel Juliens Freunde wohl eher verwirrt hätte.

«Noch ist kein Meister vom Himmel gefallen!», sagt einer der Spieler, als er seine Kugel mit einem Frotteetuch abwischt. «Besser als Fernsehgucken, wat soll man machen!», erwidert ein anderer. Boule gilt als ruhiger Zeitvertreib für Rentner. Den Spielern im Volkspark missfällt es sehr, dass man sie für Schwächlinge halten könnte. Sie rühmen die «Mentalstärke», die Konzentrationsfähigkeit und die Geschicklichkeit, ohne die man es nicht zum Champion bringen kann. Immerhin ist Boule wesentlich dynamischer als das riesige Gartenschach am Strandbad Wannsee oder die Pokerpartien, zu denen man sich vor den türkischen Kneipen an Kreuzberger Tischen niederlässt! «Boule», so empört sich der französische Verband auf seiner Homepage, «ist ein echter Sport. Nur mit sehr viel Training erreicht man ein hohes Niveau. Es ist ein populärer, geselliger Sport, unschädlich für die Gesundheit, den man in jedem Alter und ohne kostspieliges Zubehör ausüben kann.» Boule ist zu seinem Siegeszug um die Welt angetreten. Sogar in Berlin spielt man auf Französisch: «Komm her, meene kleene cochonnet!» – «Icke bin det tireur, wa?» In 69 Ländern gibt es Verbände. Onkel Juliens leben in Vietnam, in Algerien, in Thailand ... und unter unserem goldenen Hirsch!

HAUPTSTADT-SAFARI

Fernweh ... Eines dieser so schönen und so gar nicht übersetzbaren deutschen Wörter. Das Verlangen, woanders zu sein ... der Wunsch aufzubrechen ... sagen die positiv gestimmten Plakate der Reisebüros. Dabei ist das Fernweh schmerzhaft, kaum zu ertragen. Dieses nur schwer zu lindernde Leiden erfasst die Berliner, kaum dass der Frühling erscheint. Um davon loszukommen, basteln sie sich ferne Horizonte.

Denken Sie nur an die SUVs, die sich in den Berliner Straßen vermehren. Da sitzen Sie am Steuer Ihres kleinen Stadtautos und werden von einer finsteren Riesenkutsche mit dunklen Scheiben überholt, doppelt so hoch, breit, schwer und schnell wie Ihre mickrige Kiste. Einen Moment glauben Sie an eine Halluzination: Ich habe mich komplett verfahren. Statt auf der Schönhauser Allee bin ich zum Kap der Guten Hoffnung unterwegs. Im tiefsten Südafrika rolle ich auf der unbefestigten Piste eines Nationalparks dahin. Gleich wird eine Giraffe den Ku'damm überqueren, eine Elefantenherde friedlich auf dem Alexanderplatz weiden. Haben Sie schon bemerkt, dass die Insassen dieser auf dem glatten Straßenbelag so lächerlich wirkenden Geländewagen häufig Tweedsakkos und flaschengrüne Gummistiefel tragen, wenn sie bei Reichelt einkaufen? Fehlt nur noch der Tropenhelm und die sandfarbene Safarijacke, um die Illusion zu vervollkommnen und den trüben Alltag zwischen den Regalen mit Haushaltsbedarf und den blassen Kassiererinnen zu vergessen. Landrover-Besitzer sehnen sich nach einer Welt à la Rosamunde Pilcher – englisch, chic, reich, sentimental und doch ein bisschen gewöhnlich. Der Landrover ist die aufgetakelte Möchtegernversion des proletarischen Wohnwagens. Mit einem Wohnwagen fährt man sonntags an den Müggelsee. Mit einem Landrover rast man stracks zum Kilimandscharo. Und im plebejischen morgendlichen Stau zum Büro spielt man ganz allein Kolonialmacht.

Manche beschwichtigen ihr Fernweh mit anderen Tricks. Mein Nachbar im Erdgeschoss ist in die Haut eines Gentleman-Farmers geschlüpft. In unserem Hinterhof, einem sonnenlosen Loch, düster und immer etwas feucht wie das englische Wetter im August, verlegt er seit einer Woche einen Rasenteppich. Jeden Abend sieht man ihn, wie er nach der Arbeit mit Schaufel und Gießkanne auf den Knien herumrutscht. Auf der festgetretenen Erde rollt er sorgfältig einige Meter Rasen in Götterspeisengrün aus. Ein richtiges Cricketfeld in Miniatur. Gerührt beobachte ich diesen Ausbruchsversuch von meinem Küchenfenster weiter oben. Das ist wirklich ein Mann mit unerschöpflicher Kreativität. Jedes Jahr wendet er sich einem anderen Land zu. Voriges Jahr hat mein Nachbar sich in den Regenwald aufgemacht. Ja, wäre da nicht die ordinäre Kastanie mitten auf dem Hof, könnte man sich im Urwald glauben. Büsche, wilde Kräuter, üppig wachsender Farn und für die heißen Tage zwei Plastikbecken, blau wie die Südsee, in denen ein hübsches kleines Mädchen, eine schwarzhaarige Nymphe, den ganzen Nachmittag planschte und wie eine Taube gurrte. Fast erwartete ich, dass mein Nachbar sich auf die Bäume schwang und an einer Liane hängend in meiner Küche landete. Ein Berliner Tarzan zwischen den Kartoffeln-Buletten zum Mittagessen.

Das Fernweh, die Sehnsucht nach einem anderen Leben, nach dem Ausbruch aus dem Alltagstrott und der erstickenden Enge der eigenen vier Wände. Aus der Wohnung treten, die Tür schließen, ein paar Schritte gehen und in ein Flugzeug springen, das ans Ende der Welt fliegt. Und sein Gegenteil, das Heimweh, die Rückkehr in sein Land, die vertraute Umgebung, das Glockengeläut seiner Kirche. Fernweh contra Heimweh. Sind das nicht die beiden Titanen, die unser Leben beherrschen?

BERLINER BALKONE

Hebt die Köpfe und schaut hinauf zu den Berliner Balkonen. Ein jeder erschafft auf seinem am Himmel befestigten Hochsitz seinen vertrauten Heimatflecken. Die Südländer pflanzen ein Zitronen-, ein Oliven-, ein Lorbeerbäumchen, dazu Töpfe mit Thymian und Rosmarin, und schon ist ihre kleine Provence mitten im großen Norden Europas auferstanden. Die Heimat der Schwarzwälder liegt hinter einer Brüstung mit schmucken roten Geranien. «Bei uns keine gelben und schwarzen Stiefmütterchen», haben meine Söhne angeordnet. Ich staunte über ihren frühentwickelten Farbensinn, als die Erklärung auch schon nachgeliefert wurde: «Gelb und Schwarz sind doch die Farben von Dortmund!» Also habe ich himmelblaue Vergissmeinnicht und weiße Hortensien gepflanzt. Schließlich müssen wir Farbe zeigen: Wir sind ja Schalke-Fans!

Ein Balkon sagt eine Menge über seinen Gärtner aus. Halten Sie sich von Exemplaren fern, die an einen Friedhof erinnern! Ein halbes Dutzend Zwergeiben ist in regelmäßigen Abständen aufmarschiert. Mit ihrer Phantasielosigkeit deuten sie auf ein verkrampftes Wesen hin, das glaubt, das Leben bis ins Kleinste regeln zu können und die eigenen Gefühle völlig im Griff zu haben. Hüten Sie sich auch vor Balkonen, die wie Rumpelkammern aussehen! Zwar sind ihre Besitzer zweifellos praktisch veranlagt, doch das Träumen ist ihnen ein Fremdwort. Auf dem Balkon lagern sie ihre Bierkisten und Scheuerlappen. Diese anmutige himmlische Wiege ist zum Kabuff degradiert worden, auf dem höchstens noch ein banales Fleißiges Lieschen stehen darf. Vermeiden Sie aber auch den Balkon eines Überängstlichen! Jeden Abend steigt er vier Etagen hoch, um sein Fahrrad zwanzig Meter über der Straße vor potenziellen Dieben zu schützen. Suchen Sie dagegen Balkone, auf denen Salbei, Tomaten, Minze, Schnittlauch wächst; die Tafel ist gut gedeckt, die Stimmung heiter.

«An Abenden, erhellt vom Widerschein der Glut,
An Abenden auf dem Balkon, ein rosa Leuchten.
Wie war dein Busen süß! Wie war dein Herz mir gut!
Von Dingen sprachen wir, die unvergänglich deuchten,
An Abenden, erhellt vom Widerschein der Glut»

heißt es in einem von Baudelaires schönsten Gedichten. In unserer Straße glaubt man sich an den Sommerabenden in das Mekong-Delta versetzt. Auf den Balkonen leuchten Lampions in allen Farben. Gestreifte Markisen sind heruntergelassen. Der fette Rauch vom Grill vernebelt die Sicht, der Dampf von grünem Tee verdichtet sich zu duftenden Wölkchen. In der Dämmerung erheben sich gedämpfte Stimmen. In der lauen Sommernacht finden vertrauliche Geständnisse ihren Platz zwischen Engelstrompeten und Passionsblumen.

Der Balkon ist ein Refugium, ein paar Quadratmeter Freiheit im Herzen der Stadt: für die Raucher, für die Kaninchen, für die Wäsche, die so gut riecht, wenn sie in der Sonne getrocknet ist. Auf dem Balkon kann man Straße und Nachbarn sehen, ohne selbst gesehen zu werden. Er ist ein Grenzbereich, nicht ganz drinnen, nicht ganz draußen. Ein zusätzliches Zimmer, das über den großen Kastanien schwebt.

Auf den Balkonen spielen sich auch ganze Zeremonien ab, auf ihnen stellen sich die Großen dieser Welt der Menge dar. Da ist der Ort der Leidenschaft, Julias Balkon in Verona. Oder der aufgedonnerte Balkon am Buckingham-Palast, der den gerührten Untertanen Ladys mit unmöglichen Hüten präsentiert, traurig winkende kleine Jungen mit alten Gesichtern, linkische Herren in Uniformen aus einer anderen Zeit. Vor langem wurde die Monarchie abgeschafft, in Berlin. Der Berliner *Balkong* ist ein wahrhafter Revoluzzer, seine Mission ist republikanisch. Vom Balkon des Stadtschlosses rief Karl Liebknecht am 9. November 1918 die Revolution aus. Als einziger Teil des verabscheuten Schlosses entging dieser historische Balkon den Bulldozern der SED. Kennedy zog den Balkon des Schöneberger Rathauses vor, um seine Identität als Berliner zu beschwören. Im Übrigen ist es an der Zeit, einmal die Tapferkeit dieses nicht besonders schönen, doch muskelbepackten Balkons zu preisen, der Helmut Kohl wacker trug und die Buhrufe der Menge selbstbewusst hinnahm.

DIE REHABILITIERUNG DER GERANIE

Aufgepasst – in diesem Land geschieht Unrecht! Von blinden Henkern ist eine Unschuldige zum Tode verurteilt worden! Beleidigt, misshandelt, öffentlich gesteinigt, obwohl sie sich doch keines Verbrechens schuldig gemacht hat. Heute Morgen fühle ich mich wie Don Quijote: Ich muss die arme Geranie retten!

Als ich in Berlin ankam, wollte ich Geranien in meine Balkonkästen pflanzen, ohne mir dabei etwas zu denken. Sie waren feuerrot, leuchtend und pflegeleicht. Sie waren einfach perfekt, um ein wenig Farbe in meine Wohnung zu bringen. Um mich herum war die Empörung groß: Aber das kannst du doch nicht machen, Geranien! Spießiger geht es nicht! Schrecklich! Provinziell! Geschmacklos! Hätte ich einen akkordeonspielenden Gartenzwerg auf meine Balkonbrüstung gesetzt, der Abscheu hätte nicht heftiger sein können. Denn wie der Gartenzwerg gilt die Geranie als verachtenswertes Symbol der Spießigkeit, ein Charakterzug, den die Deutschen sich gern zuschreiben, wenn sie über sich selbst sprechen. Gehen Sie einmal in eine Buchhandlung und sehen Sie sich die Bücher über Deutschland an. Was sieht man auf den meisten Umschlagbildern? Einen Gartenzwerg oder einen Geranientopf. Die Geranie steht für «Unser Dorf soll schöner werden», für ein Leben ohne frischen Wind und ein hinter den Gardinen verbrachtes stumpfsinniges Dasein in Schwarzwalddörfern. Zu knallig, zu adrett, zu sauber, zu billig, zu gewöhnlich ... anders als die anderen Blumen bringen die Geranien uns nicht zum Träumen.

Ich habe nie begriffen, woher diese kollektive Ablehnung eigentlich kommt. Immerhin wage ich es heute, mich für diese unverstandene und ungeliebte Blume einzusetzen. Ja, ich gestehe: Ich liebe den Geruch der Geranien. Dieser zarte, ein wenig herbe, ganz besondere Duft. Ich rieche an Geranien sogar lieber als an Rosen. Die Geranie hat auch ganz praktische Tugenden. Sie vertreibt Mücken. Sie braucht kaum Platz: Ihre Wurzeln sind so fein, dass sie ohne jeden Aufwand noch in den kleinsten Topf schlüpfen. Aber vor allem liebe ich ihre Lebenskraft, die Gier, die Energie, mit der sie ganz allein wächst, üppig wuchert, sich vermehrt. Nichts kann die Geranie aufhalten. Sie wächst und wächst, robust und strotzend. Die Geranie ist ein bisschen verrückt, sie kennt nicht Recht noch Ordnung. In wenigen Wochen verwandelt sie Ihre Balkonkästen in einen undurchdringlichen Dschungel.

Etwas völlig anderes als diese zarten kleinen und so schicken Pflanzen, die die Szene-Floristen heute empfehlen. Beim kleinsten Schauer lassen sie die Köpfe hängen, verlieren schon nach ein paar Wochen ihre Blüten und sterben schließlich vor Erschöpfung, weil sie der Berliner Witterung und den Herausforderungen des Lebens nicht gewachsen sind. Sie sind empfindlich und kapriziös. Sie brauchen ständige Pflege, machen Scherereien. Mein Florist hat mir empfohlen, abends mit ihnen zu sprechen, um ihnen Mut zum Überleben zu geben. Die Geranie dagegen ist keine Nervensäge. Sie ziert sich nicht, sie ist groß, stark, lebensfroh. Am Abend braucht man sie nicht zu trösten, man muss ihr keine sanften Worte zumurmeln, keine Schau abziehen und sich zum Gespött der Nachbarbalkone machen: Ach, seht mal die Bekloppte von gegenüber, wie sie sich schon wieder mit ihren Blumen unterhält!

Die Geranie ist, ob es meinen Berliner Freunden gefällt oder nicht, die beliebteste Topfpflanze Deutschlands. Und ein bisschen habe ich den Verdacht, dass die arme Gemarterte als letzte Projektionsfläche für den Selbsthass dient, der von dieser Nation so lange kultiviert wurde. Seit der WM in Deutschland nimmt sich jeder Deutsche das Recht, ohne schlechtes Gewissen die schwarz-rot-goldene Fahne zu schwenken. Nur die Geranie wartet noch auf ihre Rehabilitierung durch diese Welle eines entspannten Patriotismus. Na, na, werden Sie mir sagen, nun übertreiben Sie mal nicht und beladen noch das winzigste Blütenblatt mit so merkwürdigen Interpretationen ... Und doch bin ich überzeugt, dass meine kleine Theorie einen wahren Kern hat.

Allerdings blüht in diesem Jahr keine Geranie auf meinem Balkon. Zwei Oleander, ein provenzalischer Olivenbaum, eine kleine japanische Pflanze und andere exotische Schönheiten. Aber ich habe beschlossen, im nächsten Frühjahr Zivilcourage zu beweisen und einen Balkonkasten für Geranien zu reservieren. Und wenn mein Mut ausreicht, werde ich auch Stiefmütterchen pflanzen!

BABEL AM SCHARMÜTZELSEE

Man darf den pädagogischen Nutzen von Hitzefrei nicht unterschätzen. Eine unverhoffte Chance für die Kinder, mühelos Zeichnen, Anatomie, Grammatik und mehrsprachiges Übersetzen zu erlernen. Die Schule des Lebens auf einem Holzsteg an einem See in Brandenburg. 30 Grad im Schatten. 21 Grad im Wasser. Zu siebt arbeiten wir einen Nachmittag lang an der Erweiterung unserer enzyklopädischen Kultur: ein fern von seinem Heimatland gestrandeter Libanese mit seiner Angel. Seine Freundin Chantal, deren Lebensziel anscheinend darin besteht, um die Aufmerksamkeit des gleichgültigen Anglers zu betteln. Kevin, schwarze Lederstiefel, die Bomberjacke über dem Bierbauch geöffnet. Denis, ein Rotschopf aus Fürstenwalde. Ich und meine beiden Kinder aus Berlin.

Ganz schnell steuert das Gespräch auf wissenschaftliches Terrain zu, auf Fragen der Semantik. Gerade ist der Kleine mit angezogenen Beinen ins Wasser gesprungen. «Arschbombe!», schreit er strahlend, als er wieder auftaucht. Nur der Libanese kann das Wort übersetzen: claque-cul. Chantal schmilzt vor Bewunderung. Die Kinder lernen fürs Leben.

Oberhalb des Höschens, zwei Zentimeter über Chantals rosa Nylontanga, zeigen sich zwei dichtbelaubte horizontale Zweige, symmetrisch zur Wirbelsäule. Sie bilden ein «V» – wie Victory, wie zwei Flügel, wie zwei Arme, die sich dem Libanesen vergeblich entgegenstrecken – er ist in seine Fische mehr verliebt als in Chantal. «Wie würdest du Arschgeweih ins Französische übersetzen?» Ich frage den Libanesen, der gerade einen klebrigen Wurm auf den Angelhaken steckt.

Sein Vorschlag ist wenig überzeugend. «Die Engländer sagen tramp stamp.» Zweifellos das einzige Wort, das Denis aus seiner beschwerlichen Schulzeit geblieben ist. Ich dagegen bevorzuge die österreichische Variante: Oaschg'weih, im Genitiv Oaschg'weihs. Bei der Gelegenheit frischen wir gleich einmal die Deklination ein wenig auf. Voll Enthusiasmus üben die Kinder mit. Die Sonne scheint.

Chantals Körper ist ein einziges Kunstwerk. Um den Bauchnabel ringelt sich eine winzige Schlange. An der Nase ein Ring und drei rotflammende Pickel. Die Wangen hinunter fließen zwei Bäche von Wimperntusche. Auf den Nägeln Sterne aus Strass. Ich wage nicht zu fragen, wie Chantal ihre Brustwarzen geschmückt hat. Oder ob sie Intimpiercing gut findet.

Der Sprachunterricht geht weiter. Denis gibt damit an, dass er die Füße – übrigens auch den A. – seit Wochen nicht in die Schule gesetzt hat. «Warum soll ich mir den Arsch aufreißen?», fragt er. «Und dein Vater, sagt der nichts?», erkundigt sich mein Kleiner, den Mund offen wie eine Forelle. «Ist mir doch s...egal!», antwortet Denis mit engelsgleichem Lächeln. Ich bin ihm dankbar für die lexikalische Abwechslung. «Er sollte ihn in den Arsch treten», fügt der Libanese hinzu. Er merkt nicht, dass ihm eine Wortwiederholung unterläuft.

Kevin macht einen heftigen Köpper und spritzt den ganzen Anleger nass. «Ey, du Arschloch!», schreien Chantal und Denis im Chor. «Attention! Trou de cul en vue!», trumpft mein Sohn auf, begeistert, dass er seine kultivierte Zweisprachigkeit zur Schau stellen und endlich auch seinen Beitrag zu unserem Bildungswerk leisten kann. Leicht geht ihm der Reim von den Lippen. «Aufgepasst, Arsch voraus», übersetzt der Libanese. Die Versammlung ist hingerissen. Kevin und Denis klatschen. Der Kleine wird von seinesgleichen anerkannt. Er wirft sich in die Brust. Das hier ist jetzt kein Bootssteg mehr am Scharmützelsee. Es ist der Turmbau von Babel mitten in Brandenburg. Arsch auf Esperanto: Postajo. Auf Venezianisch: culo. Auf Rätoromanisch: Chül. Auf Niederländisch: bips. Ein wahres Feuerwerk! Aber unbestritten ist es die deutsche Sprache, die die meisten Kombinationsmöglichkeiten rund um dieses anale Wort kennt. Der Libanese und ich trauen unseren Ohren nicht. So viel Phantasie. So viel Reichtum. Das Französische und das Arabische können der Sprache Goethes nicht das Wasser reichen.

Am selben Abend in einer Schöneberger Pizzeria. Anton vom Nebentisch rennt überall herum, rempelt die Gäste an. «Setz dich doch auf deine fünf Buchstaben!», stöhnt seine Mutter hilflos. Anton kreischt wie eine betrunkene Eule. «Guck mal! Das geht ihm doch am Arsch vorbei!», kommentiert mein kleiner Linguist und verdrückt ein riesiges Stück Margarita. Die Nacht ist hereingebrochen. Und es ist Vollmond. Was sonst?

DIE FERIEN DER GROSSEN

Es war vor ein paar Wochen in Paris. In der Redaktionskonferenz suchte man nach Themenideen für den Sommer. Vorschlag des Chefredakteurs: die Urlaubseskapaden der internationalen Staatschefs.

Als Erster ergreift der Frankreich-Chef das Wort, wie immer, wenn von den Mächtigen der Welt die Rede ist. Er zeigt opulente Fotos vor, mit denen sich jede Menge Seiten füllen lassen: Nicolas Sarkozy, unser Präsident, verbringt seine Ferien auf einem luxuriösen Anwesen in New Hampshire. Geschätzter Preis des Domizils: 22 000 Euro pro Woche. Mehr, als ein präsidentielles Jahresgehalt hergibt. Den ganzen Sommer über debattiert Frankreich über die Frage, wer wohl den Urlaub des Präsidenten bezahlt.

Dann ergreifen der Reihe nach die Auslandskorrespondenten das Wort. Sie erzählen von Villen am Meeresufer, von den Weiten der Prärie, in denen sich noch die luxuriöseste Ranch klein ausnimmt. Ein Foto von Sarkozy macht die Runde, mit nacktem Oberkörper, ganz Bizeps und Rolex, wie er im Boot über den See von Winnipesaukee rudert. Auch Bilder seiner Angetrauten werden herumgereicht, der schönsten, erotischsten, elegantesten und am besten gekleideten First Lady von allen. In solchen Dingen wird Frankreich nicht gerne von anderen Ländern überboten. Die Redakteursrunde erinnert sich an Giscard d'Estaings Jagdausflüge in Afrika, Mitterrands Reisen nach Ägypten, Chiracs marokkanische Wochenenden.

Bald sind London, Madrid und Kopenhagen aus dem Rennen. Allein der Rom-Korrespondent und der Frankreich-Chef streiten weiter um die Führung. Sie erhöhen die Einsätze. Sie beschreiben Swimming-Pools am Meeresrand, märchenhafte Herrenhäuser in schattigen Riesenwäldern, Privat-Jachten, bizarre Shopping-Exkursionen, Privatstrände an smaragdgrünen Meeresbuchten am Ende der Welt. Alles in diesen Phantasiereichen ist Luxus und Glanz, alles ist für die Stars gemacht und für den Durchschnittsleser außer Reichweite.

Am hinteren Ende des Tisches mache ich mich ganz, ganz klein. Ich verstecke mich hinter den muskulösen Schultern des Washington-Korrespondenten und hoffe, dass alle mein kleines, bescheidenes Deutschland vergessen. Still höre ich zu, mit offenem Mund und großen Augen. Es kommt mir vor, als würden vor mir die Schätze des Ali Baba ausgebreitet. Ich schäme mich für Helmut Kohls Wolfgangsee. Selbst mit Gerd Schröders Toscana-Trips im Brioni-Anzug würde ich meinen Kollegen nicht mal bis zum Knöchel reichen. «Und, was sagt Deutschland, da hinten am Tischende?», wirft mir plötzlich der Italien-Korrespondent zu. «Wie sieht Angela Merkels Ferienvilla aus?»

Die Mission eines Auslandskorrespondenten besteht darin, stolz das Land zu verteidigen, das er repräsentiert. Also richte ich mich auf, räuspere mich, fasse Mut und stürze mich in die Schlacht. Ich beschreibe ein kleines weißes, schlichtes Haus, das am Ende eines Trampelpfads in der Umgebung von Templin in der Uckermark liegt. Am Horizont: Felder, Hügel, ein paar schmatzende Kühe. Drinnen im Haus: Angela Merkel, die für ihren Mann eine rustikale Mahlzeit zubereitet. Wiener Schnitzel, Kartoffelsuppe. Sie lesen, wandern, gehen in einem kleinen, versteckten Waldsee schwimmen. «Mann, das ist ja total kleinbürgerlich!», sagt eine empörte Stimme zu meiner Rechten. «Hast du uns nichts Glamouröseres anzubieten?»

Schnell wechsele ich die Strategie. Da Deutschland mit

Prunk nicht brillieren kann, versuche ich, die Tugendhaftigkeit meiner Kanzlerin zu preisen, ihre Bescheidenheit, die Transparenz der deutschen Staatsfinanzen, die moderaten und aus eigener Tasche beglichenen Urlaubskosten der Kanzlerin. Ich erwähne, dass ihre Bodyguards diskret sind und ihr Mann unsichtbar, ich betone, dass kein einziger Journalist zum Sommerinterview in ihren Garten eingeladen wurde. Nicolas Sarkozy dagegen hat im Laufe zweier «Urlaubswochen» 16 Pressekonferenzen gegeben.

Die Runde schweigt. Man will mir nicht glauben. «Dann ist Angela Merkel eben eine Ausnahme! Was machen die anderen deutschen Politiker?» Ich schildere Edmund Stoibers Vorliebe für die bayrischen Alpen. Ich erwähne, dass Gregor Gysi barfuß auf einer Nordseeinsel gesichtet wurde. Der Italien-Korrespondent scharrt ungeduldig mit den Füßen. Der Frankreich-Chef hält sich den Bauch vor Lachen. Der London-Korrespondent zuckt süffisant mit den Schultern.

Ein letztes Mal versuche ich, meine Kollegen zu beeindrucken. Ich spiele meinen Joker aus: Laut Umfragen, sage ich, hätte jeder dritte Deutsche Lust, seinen Urlaub mit Angela Merkel zu verbringen. Der Frankreich-Chef macht sich fast in die Hosen. «Ferien mit Sarko», ruft eine entsetzte Stimme zu meiner Linken, «ein Albtraum!» Der Washington-Korrespondent fällt in sich zusammen wie ein geplatzter Ballon. Ich aber fühle mich besser und besser an meinem Tischende. Ich habe den Italien-Korrespondenten mit seinem gelifteten Berlusconi überholt und den Frankreich-Chef mit seinen wegretuschierten Sarkozy-Speckröllchen. Vergessen ist New Hampshire – die Uckermark hat gewonnen!

AUGUST DER STARKE

Hüten Sie sich vor dem August! Es ist ein gefährlicher Monat. Ernste Dinge geschehen. In einer Augustnacht (1572), in der Bartholomäusnacht, wurden in Frankreich die Protestanten massakriert. Im August (1792) wurde die französische Monarchie abgeschafft, und im August (1945) wurde über Hiroshima die erste Atombombe abgeworfen. Im August (1961) wurde die Berliner Mauer gebaut, und im August (1173) der Turm von Pisa. Im August (1971) stahl ein Anstreicher die Mona Lisa aus dem Louvre. Im August sind viele berühmte Tote zu beklagen: Cleopatra, Marilyn Monroe, Elvis Presley, Lady Diana und Jeanne Calment, der älteste lebende Mensch: Sie wartete bis zum August (1997), um im Alter von 122 Jahren und 164 Tagen zu entschlafen. Die Nähmaschine (1851) wurde ebenso im August erfunden wie die Verkehrsampel (1914). Als wollte das Schicksal die Fülle des Sommers, die geistige Benommenheit, die allgemeine Erschlaffung nutzen, um große Ereignisse hervorzubringen, geniale Ideen, absurde Bauwerke, gewaltsame Tode. Der Monat August ist nichts für Ängstliche und Abergläubische. Der August ist ein Hochrisikomonat. Nur mit Mut kann man ihn durchqueren.

Im August 1944 wurde Paris befreit. Und Paris im Monat August ist ein Mythos. Paris entvölkert sich. Die Pariser brechen zu den Stränden auf. Auf der A 7, der Autoroute du Soleil, die in die Provence und nach Marseille führt, tummelt sich alles, was Räder hat. Paris ist fest in der Hand der japanischen Touristen. Der Verkehr fließt, man kann mit dem Fahrrad die Place de la Concorde überqueren. Paris im August ist die Zeit der verbotenen Liebe: Frauen und Kinder sind mit den Schwiegereltern in der Sommerfrische, die Ehemänner bleiben allein in der Stadt zurück, die Chefs sind in Ferien, die Bürostunden sind zusammengeschrumpft, man hat genug Zeit für die Liebe am Nachmittag. Plötzlich ähnelt Paris einem gigantischen Swingerclub. So wenigstens erträumen es sich die Deutschen.

«Gott gebe dass mein Traum
ein wenig vom August
auf deinen Lippen
ein wenig von Paris in deinen Augen zu finden
lebendig wird und unsere Leidenschaft
neu entflammt»

singt Charles Aznavour. Paris im August ist ein Teil der französischen Identität.

Nun stehen Sie auf, gehen Sie ans Fenster und werfen Sie einen Blick auf Berlin im August in diesem Jahr. Energiegeladen ist man aus den Ferien zurückgekommen, und was findet man vor? Einen grauen Himmel, einen dunstigen Nieselregen, der in kalten Fetzen auf die Dächer der Hauptstadt niedergeht. Manchmal hellt es sich auf. Aber so ein Sommereinbruch dauert nur ein paar Stunden, manchmal zwei dürftige Tage. Tief Nikolas hat Novemberwetter im Schlepptau. Berlin verströmt den morbiden Charme eines englischen Badeortes in der Nachsaison, wenn Urlauber und Sonne verschwunden sind. Die Schwimmbäder sind verödet, die Seen verlassen, die Biergärten leer, die Freilichtkinos haben ihre Vorstellungen abgesagt ... Man hat den Eindruck, dass die ganze Stadt vor sich hin siecht. Nur die Mücken profitieren von der Feuchtigkeit, um sich zu vermehren und das Blut der Draufgänger zu saugen, die ein Picknick im Tiergarten riskieren. Wenigstens die Mücken sind im August in Berlin glücklich! Mein Stammcafé hat die Winterdecken ausgepackt, um die Knie der Gäste einzuwickeln, die sich tatsächlich auf die Terrasse wagen, die Sonnenschirme sind zu Regenschirmen umfunktioniert. Zwischen den Tischen bewegt sich die MOZ-Verkäuferin, schwarzlackierte Nägel, ausgefranstes gelbes Haar. Bonjour Tristesse. Man mag nicht mehr hierbleiben. Nichts wie weg, sonst ...

ZU INTIM!

Die Kellnerin in meinem Schöneberger Café – bauchfreies Top, gepiercter Nabel und leuchtend rote Dreadlocks wie jene Lola, die einen ganzen Film lang rannte – schreckt mich jeden Morgen aus meiner Zeitungslektüre hoch. Mit dröhnender Stimme fragt sie: «Und du? Was bekommst du?» Am Anfang bin ich jedes Mal zusammengezuckt. Ein ehemaliger Babysitter, den ich nicht wiedererkannte? Dieses «Du» irritierte mich. Ich antwortete konsequent mit «Sie», auch auf die Gefahr hin, für reaktionär, griesgrämig und alt gehalten zu werden. Im Laufe der Jahre habe ich mich daran gewöhnt, denn Lola ist nicht die Einzige, die, ohne sich um meine Meinung zu scheren, einer neutralen und flüchtigen Beziehung jene warme Intimität des «Du» aufnötigt. Die Sekretärin eines Modelabels, bei dem ich neulich anrief, hat mich geduzt. Die Sprechstundenhilfe beim Kinderarzt duzt mich. Und seit ich Mitglied eines Genealogie-Netzwerks im Internet geworden bin, habe ich aufgehört zu zählen: Jeden Tag schickt mir ein Bataillon von Memelland-Vertriebenen konspirative «Dus» zu. Meinem Urgroßvater Charles-George, einem nach Frankreich emigrierten Memel-Deutschen, verdanke ich das Privileg, dreißigmal am Tag elektronisch von höflichen älteren Herren geduzt zu werden, deren Stimme ich nicht einmal kenne. Denn mit Ingo, Günther und Franz teile ich eine verlorene Heimat an den Ufern des Baltikums. Dieses «Du» ist eine Ehre, ein Symbol der Zugehörigkeit zu einem exklusiven Klub. Ich muss stolz darauf sein.

Für mich lief der Übergang vom Sie zum Du bis jetzt nach ziemlich strengen Gesetzen ab. In den französischen Synchronfassungen jener amerikanischen Fünfziger-Jahre-Filme, die mich zum Weinen brachten, als ich noch ein sentimentaler Backfisch war, folgte der Schwenk zum Du der Logik des puritanischen Nachkriegs-Amerika. Das Szenario war immer gleich: Nachdem der Held und die Heroine sich lange Zeit gehasst haben, fallen sie sich schließlich in die Arme, teilen mit erstarrten Lippen einen frigiden Kuss und verschwinden im Schlafzimmer. Blende. Szenenwechsel. Zeitsprung. Am nächsten Tag verlassen sie das Zimmer und duzen sich. Ohne dass das Tabu ausgesprochen werden muss, versteht das Publikum, dass ein fleischlicher Akt vollzogen wurde.

Es ist unmöglich, den Deutschen meiner Generation die Subtilität zu vermitteln, mit der jene Schwelle zur Intimität gemeinsam, in gegenseitigem Einverständnis überschritten werden kann. Dieses «Du», auf das man warten muss, dieser kleine Moment sprachlicher Eleganz, in dem man zu zweit in die Vertrautheit gleitet. Dieses Zeichen der Sympathie und des stillen Einverständnisses, das umso kostbarer ist, wenn man es nicht jedem gewährt. Der Gebrauch des «Du», haben mir meine deutschen Freunde erklärt, ist ein Zeichen der Demokratisierung der deutschen Gesellschaft in den siebziger und achtziger Jahren, ein Weg, um überflüssige Barrieren, lächerliche Formalitäten und altmodische Ehrenbekundungen loszuwerden. Das preußische, nazistische, an Ordnung und Hierarchie gewöhnte Deutschland versuchte, um jeden Preis locker, egalitär und zwanglos zu werden. Von einem Tag auf den anderen war der Gymnasiallehrer, den man jahrelang mit «Herr Studienrat Dr. Schmidt» anzureden hatte, plötzlich «der Joachim, du», während unser «Monsieur Jaby» für uns immer «Monsieur Jaby» und «Sie» blieb – vor und nach ’68. Mir scheint, dass die einzigen Deutschen, die die Liberalisierung der Anrede nicht zu Ende gedacht haben, die Damen in der Haushaltswarenabteilung des KaDeWe sind: «Du, Frau Schmidt, ich brauch mal neue Kassenzettel.»

Zu meiner Beruhigung stieß ich kürzlich auf eine Studie des Allensbach-Instituts, in der es heißt: «Während 1993 noch jeder dritte Deutsche angab, dass er mit neuen Bekanntschaften ziemlich schnell beim Du lande, sagen das heute nur noch 29 Prozent. Vor allem bei den Jüngeren ist das allgemeine und lockere Du rückläufig.» Was, wenn Lola mich morgen früh mit «Madame» begrüßen würde? Und wenn Ingo, Günther und Franz mir plötzlich dreißigmal am Tag ein «Sehr verehrte Frau» zuschickten?

EIN SOMMERMORGEN AUF DEM FEHRBELLINER PLATZ

Man schlendert über den Markusplatz in Venedig. Die Tauben, die hellen Marmorplatten, der Blick in die Weite. Man bewundert die Place de la Concorde in Paris. Der Obelisk, die Noblesse seiner Konturen, die langgezogenen Linien der Jardins des Tuileries, der Louvre, der sich in der Ferne abzeichnet. Man hat unter Platanen versteckte kleine Plätze entdeckt, noble Plätze, elegante Plätze, geschichtsträchtige Plätze, harmonische oder bizarr geformt, barock, klassisch oder einfach gemütlich. All diese europäischen Plätze, auf denen man sich abends zusammenfindet, um zu trinken und sich zu unterhalten. Man steht noch unter dem Eindruck ihres Charmes, man ist verzaubert von so viel Schönheit. Und dann, als man aus den Ferien kommt, findet man sich an einem herrlichen Sommermorgen mitten auf dem Fehrbelliner Platz. Die Landung in Berlin könnte brutaler nicht sein.

Seit Jahren fahre ich mehrmals in der Woche über den Fehrbelliner Platz. Jedes Mal fällt mir auf, wie schrecklich er aussieht. Und schon vor langer Zeit habe ich ohne jedes Mitgefühl festgestellt, dass das einer der hässlichsten Plätze ist, die ich kenne. Dieser Ring grauer und massiver Gebäude, die in der schwarzen Zeit Deutschlands gebaut wurden, und in der Mitte diese unmögliche U-Bahn-Station. Mit ihren großen Zylindern, die aus der Erde ragen wie Fabrikschornsteine, dazu das rote Badezimmermosaik ... Die U-Bahn-Station Fehrbelliner Platz ist ein bisschen das Centre Pompidou für Arme. Seine missglückte, mickrige Version. Der Geruch nach U-Bahn quillt aus den Bodengittern und vereint sich mit dem säuerlichen Aroma der Currywurst und den Schwaden von «Engel's Imbiss». Heute Morgen machen zwei Arbeiter in Latzhose eine Kaffeepause und ziehen an ihren Zigaretten. Die Sonnenschirme sehen aus, als sei ein Ausstatter beauftragt worden, das Zentrum des Platzes im Stil der Siebziger zu dekorieren. Sie lassen an dicke, verblühte Tulpen denken, erschöpft und mit hängenden Köpfen. Und dann die Berliner, die über den Bürgersteig ziehen! Ein Büroangestellter in Shorts, Sandalen und weißen Socken. Eine Frau im Blumenkleid mit knallblauen Clogs. Sind sie Statisten in einem Film, der in längst vergangenen Zeiten spielt?

Den ganzen Sommer über hat man mir in der Schweiz, in Frankreich, in England mit ekstatischem Mund und leuchtenden Augen versichert, Berlin sei die aufregendste Stadt Europas, ein Traum ... und wenn man sich diese Enthusiasten so alle anhört, vielleicht die attraktivste Stadt der Welt. Den ganzen Sommer wurden mir Loblieder auf meine Adoptivstadt gesungen. Und nun hat mich der Zufall um 10 Uhr morgens auf den Fehrbelliner Platz verschlagen, und ich frage mich: Was finden die nur alle an dieser deutschen Hauptstadt? Wieso bringt sie die jungen Leute von London bis Tel Aviv zum Träumen? Warum beschließen so viele Ausländer hierherzuziehen? Warum verlassen sie Paris, London oder New York, diese bewährten Schönheiten, um sich zwischen Mauern so ohne jede Anmut einzurichten? Denn ich habe zu erwähnen vergessen, dass der Fehrbelliner Platz bei weitem nicht der Schlimmste ist ... Es gibt weiß Gott noch hässlichere Plätze in Berlin! Ich muss zugeben, dass dieser überschwängliche Enthusiasmus mir plötzlich unerklärlich ist. Sicher könnte ich ihn leichter verstehen, wenn ich auf dem angesagten Kollwitzplatz wäre. Aber der Fehrbelliner Platz? Verdient er überhaupt den Namen «Platz»? Ist das nicht viel eher ein Engpass, eine Art Korridor, ein Durchgang – laut, offen, stressig?

Wenn man aus dem Urlaub kommt, ist man noch ein paar Tage im Zustand der Gnade, in dem man einen neubelebten, abgehobenen, etwas fremden Blick auf die eigene Stadt wirft. Ein paar kurze Minuten habe ich mich gefragt, was ich seit so vielen Jahren eigentlich hier mache. Und dann, unter den Platanen des Parkcafés, sanft gestreichelt vom Murmeln der Gespräche, bin ich dem Zauber wieder verfallen. Plötzlich hat der Anblick der Leute um mich herum mich erheitert, und die Missgestalt der U-Bahn-Station hat mich gerührt. Mit einem Mal kam mir der Markusplatz zu perfekt vor, die Place de la Concorde erstarrt in ihrer Symmetrie. Das morgendliche Chaos des Fehrbelliner Platzes, so sagte ich mir, das ist das wahre Leben, in vollem Gang. Schluss mit den Ferien und den Träumen von anderen Orten. Die Zweifel waren verflogen. Berlin hatte wieder Besitz von mir ergriffen.

PALERMO IM HINTERHOF

In brütend heißen Sommernächten verwandelt sich unser Hinterhof in einen gigantischen Resonanzkörper. Jedes Rascheln, jedes Flüstern wird von den hohen Mauern reflektiert und verstärkt; so bleibt unsere kleine Hausgemeinschaft über das Intimleben jeder Etage auf dem Laufenden. Die aus Gier nach frischer Hinterhofluft weit aufgerissenen Altbaufenster bahnen Schlafzimmergeheimnissen den Weg, jeder wird zum Mitwisser der intimen Verrichtungen des anderen – eine unentrinnbare Promiskuität. Die Sommernächte unseres Hauses folgen stets dem gleichen Klangrhythmus:

18 Uhr: Der Wäschetrockner aus der zweiten Etage pfeift zum dritten Mal, dann beginnt im vierten Stock die Klavierstunde, deren Tonleitern 45 Hausbewohner quälen. Im ersten Stock informiert ein Anrufbeantworter das ganze Gebäude vom bevorstehenden Besuch Tante Monikas.

20 Uhr: Der Höhepunkt des Klanginfernos. Während der Vorspann zur «Tagesschau» erklingt, mahnen entnervte Eltern ihre überreizten Sprösslinge: «Zähne putzen, und zwar sofort!» Auf dem Hof sortiert ein Pedant seine Flaschen mit erbsenzählerischer Akkuratesse in die vorgesehenen Container. Gabeln kratzen auf Tellern herum, dazwischen banale Gesprächsfetzen. Die Meditationsgeräusche der Yogis aus dem Seitenflügel tauchen den Hinterhof für einen Moment in ein vollständiges Nirwana. Letzten Sommer ließ ein kleines, schlecht geöltes Windrad auf dem Fensterbrett gegenüber den Valium-Konsum unserer Hausgemeinschaft explosionsartig in die Höhe schnellen.

22 Uhr: Improvisiertes Duett aus Reggae in der zweiten

und Brahms in der vierten Etage. Der Frauenheld aus dem Vorderhaus entkleidet seine Beute, beim Geschirrspülen werde ich unfreiwillig zum akustischen Voyeur eines ausgedehnten Vorspiels.

3 Uhr morgens: Nicht das! Sie tut's schon wieder! Die Schlaflose aus dem zweiten Stock im Hinterhaus, die greise Grande Dame des Bordells, das in den goldenen Zeiten unseres Mietshauses in der Parterrewohnung residierte, verbringt ihre Nächte damit, sich Boxkämpfe im Fernsehen anzusehen und dabei eine Zigarette nach der anderen zu rauchen. In allen Etagen werden die Fenster brutal auf- und zugeschlagen. «Ruhe!», schreit ein Verzweifelter, doch die Schlaflose hört nichts. Ich habe sogar schon versucht, ihre Fensterscheiben mit Kastanien und Wasserbomben zu bewerfen – keine Reaktion. Die Grande Dame schnarcht selig vor dem Fernseher. Technischer K.o. auf dem Plüschsofa.

5 Uhr: Der Radiowecker eines unidentifizierten Schichtarbeiters dröhnt dem anbrechenden Tag das Titelstück aus «Titanic» entgegen. Das ganze Haus stürzt in einen Schiffbruch-Albtraum: Ein Riss zieht sich vom Parterre bis zum Dach, wir versinken alle zusammen in den eisigen Wassern des Atlantiks. Der Schichtarbeiter gönnt sich den Luxus, noch zehn Minütchen zu dösen, während das Haus untergeht. Dann lässt uns das kalte Wasser schweißgebadet hochschrecken.

6 Uhr: Der Hinterhof verwandelt sich in eine gigantische Voliere. Alle Vögel singen. Die schönste Stunde dieser kurzen Nacht.

7 Uhr: «Maaamaaa!» Der Kleine aus dem Dritten läutet das brutale und unwiderrufliche Erwachen des gesamten Hauses ein. Klospülungen, Duschgesänge. Espressomachen-Gezischel. Der Wetterbericht im Radio. «Zähneputzen, und zwar sofort!» Fast wähnt man sich in Palermo, so laut und redselig gibt sich Berlin plötzlich.

Allerdings nur, bis uns ein paar Monate später das Krächzen der Krähen und das Krak-Krak der schneeschaufelnden Hausmeisterin noch vor dem Öffnen der Vorhänge wissen lässt, dass der Winter gekommen ist. Beim ersten Temperatursturz hüllt sich das Mietshaus in schamhaftes Schweigen. Jeder zieht sich zurück in die Welt hinter den eigenen Fenstern. Der Hinterhof gewinnt seine reservierte Stille zurück. Adieu Palermo.

HERBST

DER KUSS IM BETON

Jede Nation hat ihren Lieblingskuss. Die Amerikaner haben ein Collier charmanter kleiner Küsse, die von den himbeerroten Lippen Marilyn Monroes in die Luft gehaucht werden. Sie gleiten über die ausgestreckte Hand der Diva und schweben graziös in die ekstatische Menge der Empfänger. Die Österreicher haben den leuchtenden Kuss von Gustav Klimt. Er verbirgt sich im glänzenden Stoff des Umhangs, vergräbt sich im dichten Haar. Ein transzendentaler Kuss, schon nicht mehr von dieser Welt. Die Franzosen haben den sinnlichen Kuss von Rodin, zwei ineinander verschlungene Körper aus weißem Marmor auf einem Sockel. Das Liebespaar hat die ganze Welt vergessen. Sie existieren nur noch füreinander.

Und was ist der Lieblingskuss der Berliner? Er ist auf die Mauer der East Side Gallery gemalt. Kein klassischer Kuss, leidenschaftlich, selbstvergessen. Auch kein trockener, schneller Kuss, der die Freundschaft besiegelt. Klack, klack, rechts und links auf die Wangen. Sondern ein seltsamer Kuss zwischen zwei alten und nicht mehr sehr appetitlichen Herren. Der Kuss, den Leonid Breschnew und Erich Honecker sich vor langer Zeit gaben. Nein, der Kuss der Berliner bringt uns nicht zum Träumen. Es ist ein offizieller, zeremonieller Kuss, der vom ganzen Planeten gesehen und gedeutet werden soll. Ein Kuss als Träger einer politischen Botschaft: Zwei Bruderländer demonstrieren ihre Solidarität auf etwas obszöne Art. Jedes Mal, wenn ich diese aneinandergeschmiegten Gesichter passiere, muss ich angewidert den Mund verziehen: Breschnews Hängebacken, seine monumentalen Augenbrauen, Honeckers teigiger Teint. Die auf den anderen Mund gequetschten Lippen. Dieses Brillengestell, das von der Nase rutschen will. Der Kuss hat etwas Vampirhaftes. Ich stelle mir den Kuss ziemlich sabbernd vor. Vielleicht roch er nach einem billigen Rasierwasser? Angela Merkel darf sich glücklich schätzen, dass es dieses eigenartige Ritual in den westlichen Demokratien nicht gibt. Der Handkuss von Jacques Chirac ist doch viel galanter. Und stellen Sie sich nur mal vor, die Kanzlerin müsste Nicolas Sarkozy auf den Mund küssen …

Ein kräftiger Händedruck von Breschnew und Honecker wäre viel angemessener und weniger exhibitionistisch gewesen. Wobei ein Händedruck aber auch wesentlich unangenehmer als ein Kuss sein kann. Manche Hände sind mit feuchtem Schweiß getränkt. Sie rutschen einem durch die Finger wie ein Aal frisch aus dem Wasser. Manche sind weich und schüchtern. Sie lassen das Temperament vermissen. Das sind die Schlimmsten, finde ich, weil sie weder ehrlich noch überzeugt sind. Ich mag auch die nicht, die einem die Hand zerquetschen und die Ringe ins Fleisch rammen. Nur mühsam kann man einen Schmerzensschrei unterdrücken.

Und doch darf man den so wenig erotischen Kuss der East Side Gallery nicht geringschätzen. Er ist der letzte Zeuge einer untergegangenen Epoche. Ein Bruderkuss zwischen den Parteigenossen zweier Länder, die es nicht mehr gibt. Die geopolitische Ordnung Europas wurde umgestürzt. Diese beiden alten und in ihrem Dogma erstarrten Kommunisten, unfähig, den Willen ihrer Völker zur Veränderung wahrzunehmen. Das Leben hat sie bestraft, weil sie zu spät kamen. Die europäische Landkarte wurde neu gezeichnet. Der Kalte Krieg ist zu Ende. Aber der Kuss paradiert noch immer mitten durch Berlin. Er wurde sogar restauriert, und mit der frischen Farbe hat er sein ganzes Ungestüm wiedergefunden. In den Gedenkwochen der nächsten Zeit wird er besonders gefeiert werden. Das können die Liebenden von Klimt und Rodin nicht von sich behaupten! Ihr Kuss ist in einem verstaubten Museumssaal eingesperrt. Einfach ein Kunstwerk ohne Einfluss. Marilyn Monroe hat ganz sicher den mythischen Kuss par excellence kreiert, einen, von dem ganze Generationen von Männern geträumt haben, aber er hat die Niederungen der Welt nicht verändert, sieht man davon ab, dass der amerikanische Präsident ihm erlag. Der Graffiti-Kuss der Berliner hält sich viel besser: Er ist in Beton eingraviert und erinnert uns daran, dass eine Revolution stattgefunden hat.

DAS CAFÉ ADLER VERLÄSST DEN AMERIKANISCHEN SEKTOR!

Bestimmte Orte in den Großstädten des alten Europa vertreiben einem jede Lust, noch einmal im Leben ein Geschichtsbuch aufzuschlagen. Besonders wirksam ist da ein Spaziergang bei den Amateur-Aquarellmalern in Paris. Wenn man sie an der Place du Tertre am Montmartre sieht, mit ihren Staffeleien, Paletten und Baskenmützen, dann kann man Toulouse-Lautrec und das ganze 19. Jahrhundert nur noch verabscheuen. Und man muss nur einen Nachmittag zwischen den afghanischen Fellmänteln und den Räucherstäbchen in der Carnaby Street verbringen, um für immer die irgendwo schlummernde Nostalgie von Flower Power und sechziger Jahren abzutöten. Der Checkpoint Charlie macht aus der deutschen Teilung, diesem großen und den Bewohnern der Stadt noch so gegenwärtigen Kapitel der Berliner Geschichte, einen lächerlichen Basar. Auf dem Bürgersteig steht der Kalte Krieg zum Verkauf: seine Vopo-Mützen, seine Uhren mit dem Leninbild, seine Armbinden «Helfer der Volkspolizei», seine russischen Pilotenmützen, seine Hämmer und seine Ambosse ... «Manchmal auch echt», gibt die Verkäuferin an einem Stand zu. Für die Wuppertaler Jugendlichen auf Klassenfahrt ist das schon ein bisschen Prähistorie. Eine so ferne Zeit. Florian mit seinen aknezerfressenen Wangen schwenkt die rote Fahne. Lukas, die Fellmütze mit den Ohrenklappen auf dem Kopf und die Colaflasche in der Hand, marschiert im Stechschritt. Laura hat sich ein Vopo-Schiffchen auf das rote Haar gesetzt. Und am liebsten würde man ihren Geschichtslehrer in die Arme nehmen, so traurig und erschöpft sieht er aus.

Genervte Japaner werfen sich vor dem versiegelten und kaum erkennbaren Mauerstück in Pose. Lächeln! Klick. Klack. Fertig! Ein Doppeldeckerbus fährt vorbei. Er verlangsamt kurz. Hinter den abgedunkelten Fenstern und den kleinen Vorhängen ihres südseeblauen Exklusiv-Reisebusses starren schwäbische Rentner die Mauerruinen an. Vier Minuten Panaromablick auf achtundzwanzig Jahre deutsche Geschichte, und schon biegt der Bus in Unter den Linden ein, anderes Jahrhundert, anderes Kapitel. Auf Wiedersehen, Honecker, Guten Tag, Friedrich II. von Preußen.

Der Checkpoint Charlie ist ein Engpass. Es riecht nach Pizza und altem Fett. Hupen. Velotaxis. Gewühl. Seit Jahren habe ich mich nicht mehr in dieser Ecke von Berlin aufgehalten. Dabei war ich ganz regelmäßig hierhergekommen, als die Mauer anfing zu zerbröckeln. Bei einer Verabredung finde ich mich eines Morgens zufällig vor dem mythischen Schild wieder: YOU ARE LEAVING THE AMERICAN SECTOR. Aber ich erkenne nichts mehr. Ich muss die Augen schließen, um mich an die Zeit zu erinnern, als der Checkpoint Charlie eine schweigende Luftblase war. Der beißende Geruch der Trabis, Delegationen von Genossen der Französischen Kommunistischen Partei mit ihrem unverwüstlichen Glauben ... am Checkpoint Charlie kippte man in eine andere Welt.

«Der Kapitalismus kennt keine Gnade. Wir sind nicht mehr von dieser Welt», sagt der türkische Kellner im «Café Adler». Der Checkpoint Charlie, einst die Sackgasse von West-Berlin, ist jetzt zu einem wichtigen Objekt der Immobilienspekulation geworden. Das «Café Adler» wird bald schließen. Durch die hohen Fenster seines Lokals betrachtet der Ober den alltäglichen Zirkus. Seine Kohlrabisuppe und sein Tomatenconsommé haben nicht die geringste Chance gegen den Triumph der gastronomischen Globalisierung, gegen Chinapfanne, Asia Sushi, Chips and Cookies, Chicken Wings. Das «Café Adler» ist das einzige Relikt vergangener Zeiten. Hier trafen sich die ausländischen Journalisten mit ihren Informanten, den in den Westen geflohenen Dissidenten der DDR, den Journalisten der TAZ. Hier tauschte man Adressen und Kontakte aus. Hier trank man das erste Glas Sekt mit den fassungslosen Ossis, die in der Nacht des 9. November gerade die Mauer passiert hatten. Das «Café Adler» ist ein wahrer Ort des Kalten Krieges, ein Museum, tausendmal authentischer als der ganze kitschige Krempel auf dem Gehweg gegenüber. Die Marmortische, die mit verschossenem grünem Samt bezogenen Polsterbänke, das Fliesenmosaik auf dem Boden, die großen Spiegel an den Wänden – sie alle können viel mehr von der Geschichte erzählen als die Matroschkas und die falschen Mauersplitter. Und wenn das «Café Adler» einmal nicht mehr da ist, werden wenige Minuten am Checkpoint Charlie genügen, damit man vor der Erinnerung an den Kalten Krieg fliehen möchte.

IMMER DABEI

Die Begeisterungsfähigkeit der Berliner fasziniert mich. Diese kindliche Freude am Mitmachen, wenn sich irgendwas in der Nähe abspielt. Denken Sie nur an das Engagement, mit dem sie persönlich die großen Männer begleiten, die ihre Stadt besuchen. Keine europäische Hauptstadt sonst hätte Barack Obama mit einer solchen Leidenschaft empfangen. Der Tiergarten schwarz vor Menschen. Diese Schreie, diese Tränen, diese Umarmungen. Man hätte glauben können, ein Cousin aus Amerika sei gekommen, um mit jedem Einzelnen der Zehntausenden Tee zu trinken. Und dabei war Obama noch nicht einmal Präsident. Der gleiche Enthusiasmus für Paul Klee und Jeff Koon. Wochenlang wand sich zu jeder Tageszeit eine Warteschlange über den Vorplatz der Nationalgalerie. Und diese Woche klumpten sich die Berliner von morgens bis abends vor dem Berlinale-Palast, von einem eisigen Wind gepeitscht. Sie warteten darauf, dass Angelina Jolie ihre Stilettos auf den roten Teppich setzte. Von Brad Pitt bis Knut, von Rosa Luxemburg bis Paris Hilton – die Berliner öffnen ihre Arme für die Stars aller Epochen.

Tag der Offenen Tür, lange Nacht der Museen, historischer Jahrestag, Eröffnung eines großen Einkaufszentrums, Ausverkauf auf dem Ku'damm, Geburtstag des KaDeWe, Teppichschlussverkauf, ein pleitegegangenes Geschäft, das seine Warenreste verramscht, irgendwo etwas umsonst, die Gay Parade oder der Karneval ... Man muss sie nicht einmal an den Termin erinnern: Ein Pfiff, und gleich springen die Berliner von ihrem gemütlichen Sofa auf, schnappen sich ihre Tasche, schon sind sie unterwegs. Im Frühjahr trifft man sie bei Regen oder Wind zu Tausenden auf der Avus zum Tag des Fahrrads. Ein Feuerwerk, und sie tummeln sich mitten in der Nacht auf der Straße. Niemals versäumen sie die Silvesterkracher. Würde man von ihnen verlangen, auf den Mond zu klettern – die Berliner wären einverstanden.

Dieses Verlangen nach dem Logenplatz enthüllt einen ganz ursprünglichen Wunsch: dabei zu sein. Und eine tiefsitzende Angst: etwas zu verpassen, nicht mehr auf dem Laufenden zu sein, mit weit offenem Mund und Reue im Herzen am Ufer des großen wilden Lebensflusses zurückzubleiben. Es läuft nicht weg ... den Berlinern entgeht die Weisheit dieser schönen deutschen Redewendung, die Geduld und Gelassenheit lehrt. In ihren Augen ist es das ganze Leben, das wegläuft, wenn man zu Hause bleibt. Deshalb muss man sich beeilen, um es einzuholen. Ein paar Sekunden lang den Nippes auf dem Schreibtisch der Kanzlerin zu sehen, nachdem man drei Stunden vor dem Kanzleramt Schlange gestanden hat. Das war es wert! Ein Aquarell von Paul Klee bewundern, während man zwischen dem monumentalen Po der Dame vor einem und den spitzen Ellbogen des Herrn neben einem eingezwängt ist. Ja! Eine geführte Tour durch die Kanalisation der Hauptstadt vor dem Sonntagsbraten? Für einen Pariser eine Reise in die Hölle, für einen Berliner ein exquisiter Aperitif.

Schon oft habe ich mich gefragt, woher diese Neugier für die eigene Stadt kommt. Der Pariser ist blasiert. Seine so selbstbewusste Kapitale schmückt sich mit tausend Jahren Tradition. Es ist eine der schönsten Hauptstädte der Welt. Viele Pariser bemerken das nicht einmal mehr. In den letzten Jahren hat Paris sich kaum verändert. Berlin dagegen ist seit zwanzig Jahren in der Mauser. Es ist keine Schönheit, seine Reize springen nicht ins Auge. Man muss sie suchen.

Der Berliner scheint sich magisch zur Menge hingezogen

zu fühlen, zum Gewühle, zum Gedränge. Der Pariser würde nur widerwillig stundenlang Schlange stehen. Aber ein paar hundert Meter aneinandergedrückter Körper, nein, so etwas schreckt den Berliner nicht ab. Außerdem trotzt er den Widrigkeiten mit einer perfekten Ausrüstung. Er bringt sich eine Stulle mit und eine Thermosflasche Kaffee, ein Klappstühlchen, einen Regenschirm und manchmal einen dicken Roman. Er verwickelt seine Nachbarn in ein Gespräch. Man lacht! Man tauscht sich aus! Der Fußweg murmelt. Die Zeit ist ebenso vergessen wie die Unbequemlichkeit des langen Wartens. Man ist unter sich, und alles geht gut.

LESUNG

Man möchte sich verstecken, die Türen verrammeln und die Fenster abdichten, um dem Orkan von Büchern zu entkommen, der jeden Herbst über uns hereinbricht, immer etwas heftiger, immer etwas weniger kontrollierbar, immer beängstigender. Zu Hilfe! Da, die Literaturbeilagen der Zeitungen! Papierbündel, so dick wie ein Wörterbuch für Altgriechisch. Man müsste sie lesen. Keine Zeit. Keine Energie. Bis der Tag kommt, an dem ihr Verfallsdatum abgelaufen ist und man sie mit schlechtem Gewissen in den Papierkorb wirft. Nichts wie weg! Und dann die Verlagskataloge, die den Briefkasten verstopfen. Jedes Jahr aufreizender und üppiger. Wir müssen uns wehren! Sturzbäche von Büchern ergießen sich in die riesigen Hallen von Frankfurt. Wo soll man anfangen? Was wählen? Wen bevorzugen?

Meine Berliner Buchhandlung beschützt uns vor diesen literarischen Unwettern. Hier beruhigen sich die Stürme, der Wind legt sich, der Himmel hellt sich auf. Die Welt wird klein, warm, vertraut. Eines Abends findet man sich hier dicht an dicht gedrängt. Überall Menschen. Auf Klappstühlen, wie Hühner auf den Stufen der Trittleitern, im Schneidersitz auf dem Teppichboden. Es ist wie im Hamam. Eng aneinandergepresst sitzt ein Dutzend Frauen auf einer Bank und fächelt sich mit Büchern Luft zu. Von ihren feuchten Stirnen perlt der Schweiß. Ein alter Herr lehnt an den Kochbüchern. Um sich zu konzentrieren, hat er die Augen geschlossen. Man hat sogar einen Mülleimer umgedreht und damit einem kleinen Mädchen in der ersten Reihe zu einem provisorischen Hocker verholfen. Wer keinen Sitzplatz gefunden hat, steht in der Nähe der Tür. Auf den Stapeln mit den Neuerscheinungen balancieren Weißweingläser (Rotwein ist verboten, wegen der Flecken!). Es gibt Salzstangen auf Schillers Gesamtausgabe und Plastikbecher auf Orhan Pamuk. Draußen vor den Schaufenstern sieht man eine Reihe enttäuschter Augenpaare. Es gibt keinen Platz mehr. Sie müssen draußen bleiben.

Die Leute vom Kiez sind da, die Stammkunden, die treuen Fans der Schriftstellerin und einige Neugierige, die zufällig vorbeigekommen sind. Die Buchhandlung achtet darauf, dass die alten Kunden einen Sitzplatz finden. Jeder passt auf, dass sein Weinglas nicht auf den hellgrauen Teppich purzelt. Die Autorin tritt auf, in Schwarz und ganz allein. Sie bahnt sich einen Weg zwischen Beinen und Schultern, sie navigiert zwischen den Extremitäten ihrer Leser. Beifall. Es riecht nach neuem Buch, nach Herbst und dem schweren Parfüm meiner Nachbarin. Die Autorin setzt ihre Brille auf und beginnt mit diesem sehr deutschen Ritual, das man in Frankreich nicht kennt: der öffentlichen Lesung. Ein Schriftsteller und sein Buch, ganz allein im Angesicht ihrer Leser.

Warum haben die siebzig Anwesenden dieser bescheidenen Abendunterhaltung den Vorzug gegeben, vor all den anderen um vieles glänzenderen kulturellen Veranstaltungen, die die Berliner Nacht bietet? Warum nicht ein Film, ein Konzert, eine Party oder, noch besser, ein gutes Restaurant? Auf den ersten Blick wirkt so eine Lesung recht trocken. Man muss sich anstrengen. Man muss sich sehr konzentrieren. Eine Stunde lang sitzt man auf einem unbequemen Platz hinter einer Mauer von Köpfen, die einem die Sicht versperren. Eine Stunde lang hört man eine einzige Stimme. Ein ahnungsloser Passant, der in diesem Moment an der Buchhandlung vorbeikäme, könnte das Ganze für eine kollektive Hypnosesitzung halten. Kein Laut ist zu hören. Manchmal eine Lachsalve oder ein Hustenanfall. Ein Schluck Weißwein. Die Blicke schweifen über die zu Türmen gestapelten Bücher auf den großen Tischen, noch jungfräulich in ihren Plastikfolien. An der Decke verbreiten die Lampen ein sanftes Licht. Zwei Herren schließen gleich bei der ersten Zeile die Augen. Schlafen sie an der Heizung, oder möchten sie die Worte intensiver genießen? Als ich das engelsgleiche Lächeln meiner Nachbarin betrachte, ihren zur Seite geneigten Kopf, ihren leicht geöffneten Mund, frage ich mich, ob die Lesung nicht eine Kindheitserinnerung ist. Ein Genuss, der sehr weit zurückgeht. Wenn man auf den Knien eines Erwachsenen kauerte und in seinen warmen Armen ganz geborgen war, hörte man tief in seiner Brust seine Stimme trommeln. Vor uns taten sich der Mississippi und die Elendsviertel von London auf. Jetzt sind wir der Kindheit entwachsen, niemand liest uns mehr Geschichten vor. Und da siebzig Menschen nicht darauf warten wollen, dass Greisenalter, schwere Krankheit oder Erblindung ihnen erneut zu diesem Privileg verhelfen, gehen sie heute mit kaputtem Rücken, doch verjüngt nach Hause.

JA, ICH WERFE BÜCHER WEG!

Wenn ich morgens die Tür zu meinem Arbeitszimmer in Schöneberg öffne, finde ich mich in die Ebene von Gizeh versetzt. Drei Buchpyramiden erheben sich auf einem Parkett, das so golden glänzt wie der Sand im Nildelta. Jeden Tag ragen diese majestätischen Bauwerke etwas höher empor. Und dann geschieht es: Eines Morgens gerät eins von ihnen plötzlich in Schwingungen, verliert das Gleichgewicht, und donnernd ergießt sich ein Strom ungelesener Bücher in das Zimmer. Alarm. Mit einem Schlag ist die Balkontür vermauert. Nur im Storchenschritt gelange ich vom Sofa zum Schreibtisch. Was tun? Unmöglich können die Regale noch weiter belastet werden. Im Keller bewohnen ganze Mottenfamilien die in Kartons gestapelten Bücher. Manche Werke haben eine neue Bestimmung gefunden, ein wenig profaner gewiss, aber verdienstvoll. Der Gaffio, das lateinisch-französische Wörterbuch meines Urgroßvaters, hat bereits ganze Generationen von Kinderhintern angehoben, sodass die kleinen Köpfe den Rand des Familientisches erreichen konnten. Der Larousse hält die Küchentür zurück, damit sie nicht beim kleinsten Luftzug ins Schloss fällt. Und ich kenne eine Frau, die, um ihr Bett zu erhöhen, unter das Fußende je einen Band Marx und Lenin gelegt hat.

Für die Hunderte von anderen sehe ich nur eine klare und unsentimentale Lösung: wegwerfen. «Bücher wegwerfen, wie kannst du nur an so was denken!», schreit man auf, als ich einen blauen Müllsack entfalte. Man wirft einen alten Kühlschrank weg. Man trennt sich ohne Zögern von einem Kleid, das man drei Jahre nicht getragen hat. Aber ein Buch! Ein

Buch wirft man doch nicht weg! Mir wird klar, dass ich ein Tabu gebrochen habe. Unbeabsichtigt hat meine unschuldige Ordnungsmacke finstere Erinnerungen wachgerufen. Ich bin eine Büchervernichterin! Und schon werde ich verdächtigt, im Hinterhof einen Scheiterhaufen errichten zu wollen! Ich bin nicht in einem Land aufgewachsen, in dem Bücher verbrannt wurden. Kein Autodafé auf der Place de la Concorde. Vergiftet von meinem schlechten Gewissen, habe ich mich lange bemüht, nach anderen, pietätvolleren Auswegen zu suchen. Gepriesen sei Oxfam, das Geschäft am Ende des Ku'damms! Diese karitative Organisation aus England empfängt einen wie den Messias. Mit dem schmeichelhaften Gefühl der guten Tat habe ich einen kleinen und sehr verzwickten Essay über die elsässische Identität dagelassen. Ein Jahr später ist «L'Alsace dans le désordre» neben Bohnenkaffee aus Nicaragua und gebrauchten Tweedröcken noch immer auf der Suche nach einer Berliner Adoptivfamilie.

Aber warum sich solche Mühe geben? Woher die Sehnsucht in diesem Land, alles zu recyclen? Das ist doch ein absurder Fetischismus. Wegschmeißen tut gut. Seit ich kürzlich gelesen habe, dass man sich laut Feng Shui von überflüssigen Dingen trennen soll, damit die Energie fließen und Raum für neues Leben entstehen kann, habe ich zu energischen Maßnahmen gegriffen. Ich bin stolz, dass ich es geschafft habe, mich von «Our bodies, Ourselves» zu trennen, der feministischen Bibel der Siebziger, die vom Boston Women's Health Book Collective herausgegeben wurde und Sex als politisches Statement ansieht. Weg mit den Heerscharen von Büchern, die auf meinem Regal seit Jahren schlafen. Weg mit den Romanen, die bis heute die Langeweile der Schule ausdünsten. Weg mit den Eintagsfliegen, die nur noch an eine längst vergangene Mode erinnern. Gnadenlos treffe ich meine Auswahl.

Meine Regale leeren sich. Bald bleiben nur die treuen Weggefährten eines Lebens. Die, die man mit den wilden Augen der Jugend gelesen hat und viele Jahre später noch einmal liest, mit den weisen Augen der Erwachsenen.

Gestern, bei Einbruch der Dunkelheit, habe ich mich mit zwei großen Koffern an den Wänden entlanggedrückt und bin auf Zehenspitzen in den Müllkeller geschlichen. Seit heute früh sieht mein Arbeitszimmer nicht mehr wie das Land der Pharaonen aus. Und voll Ungeduld warte ich auf den Beginn meines neuen Lebens!

SEEPFERDCHEN MIT PILSKRONE

Im Leben jeder Mutter gibt es obligatorische Zwischenstopps an merkwürdigen Orten, an denen man niemals haltgemacht hätte, wäre da nicht ein kleiner Junge, der unbedingt noch vor dem Sommer Schwimmen lernen will. Die Cafeteria des Hallenbads am Sachsendamm ist so eine Durchreisestation. Einmal in der Woche zwischen fünf und sechs finde ich mich inmitten eines Dekors wieder, als sei die Zeit stehengeblieben und es dem Wechsel der Moden aus unerfindlichen Gründen misslungen, Akkordeonlampen und weiße Bakelittische auszulöschen. Die sechziger Jahre, die die Trendbars in der Mitte unter Aufbietung abstruser Accessoires wiederherstellen wollen, existieren mitten in Schöneberg intakt und unverfälscht.

«Es hat aber was ...», sagt meine Tischnachbarin, der es genauso wenig wie mir gelingen will, den schrägen Charme dieses objektiv betrachtet so hässlichen Ortes zu definieren. «Es hat aber etwas ...»

Nur die deutsche Sprache kann diffuse Eindrücke in einer so simplen Formel zum Ausdruck bringen.

Die Cafeteria des Hallenbads am Sachsendamm gehört zu den Orten, die ich ausländischen Besuchern zeigen würde, wenn ich die Seele Berlins vorführen müsste.

Während die Kleinen mit fluoreszierenden Reifen in den indigoblauen Wellen des maritimen Paradieses jenseits der Glasscheibe schaukeln, versuche ich, durch den dichten Schleier des Zigarettenrauchs hindurch die Topographie zu erkunden. Die Nachbartische wirken wie kleine Vulkane vor dem Ausbruch: Mit Kippe im Mundwinkel überwacht jeder

Gast mit Adleraugen seinen kleinen Kevin oder Marvin, der im Becken mit den Beinchen strampelt.

Die Kränze aus Plastikblumen, die an der Decke aufgehängt sind – einst mauvefarben wie Glyzinien – haben ihre elastische Frische schon lange eingebüßt. In langen grauen Flechten schaukeln sie schlapp über unseren Köpfen. Kerzen beleuchten intim die zwei tapferen Tulpen, die auf jedem Tisch um ihr Überleben kämpfen, während im Radio ein Schlagersänger Liebesschwüre säuselt … Wenn ich ein wenig die Augen schließe, fühle ich mich, als stünde ich an Sams Klavier gelehnt in der Bar in Casablanca – die allerdings in einen stadtplanerischen Schraubstock geraten ist, auf der einen Seite begrenzt vom Stumpf einer nie zu Ende gebauten Autobahn, auf der anderen Seite von der Dominicusstraße, einer «Königsallee», die zu Ikea führt. Meine Ellbogen kleben an der roten Wachstuchtischdecke. Ein Baby heult wie ein Feuerwehrauto. Der Bademeister lässt im Vorbeigehen seine Hinterbacken spielen, muskulös wie Rumpsteaks, und seine Badelatschen klatschen schallend auf die Fließen. «Komm, Marvin, komm schon!» Die Mutter, die da ihren Kleinen anfeuert, wähnt sich offenbar in Hoppegarten.

«Jedes dritte Kind und jeder vierte Erwachsene in Deutschland können nicht schwimmen», doziert der einzige Mann in unserem Harem. Wir sind dankbar, dass er unserem wöchentlichen Rendezvous den Anstrich einer humanitären Mission verleiht. Die Lippen von unserem Pascha versinken in der Schaumkrone eines Schultheiss. «Wie süß!», kreischt eine Großmutter, die Nase an die Fensterscheibe gedrückt. Eines nach dem anderen hüpfen die Kleinen ins Becken. Und alle haben wir Tränen in den Augenwinkeln.

Die Speisekarte ist eine Ode an die Berliner Gastronomie. Zwischen Wienern mit Kartoffelsalat, Currybuletten mit Brötchen und Backkartoffeln mit Quarkcreme lauern bedrohliche Kreaturen: «Stramme Maxe», giftgrünglibbrige Schlangen in Plastikgläsern, mit bitterem Puder gefüllte Weltraumkapseln, die auf der Zunge explodieren. Ein Aushang listet mit entwaffnender Ehrlichkeit den Giftgehalt der angebotenen Speise auf: «1 = mit Farbstoff, 2 = mit Konservierungsstoffen, 3 = mit Antioxydationsmittel, 4 = mit Geschmacksverstärker». Ich schwöre, eine Flasche «lieblichen Tafelwein» zu entkorken, wenn der Kleine sein Seepferdchen macht.

Warum ist Berlins Hässlichkeit so anrührend? Warum freue ich mich jede Woche darauf, eine Stunde in diesem feuchten Brutkasten zu verbringen, der nach Chlor, Nikotin und Schweiß riecht? Hinter der Fensterscheibe watscheln die Kleinen mit violetten Lippen im Gänsemarsch Richtung Dusche. Es ist sechs Uhr. Ja, es hat wirklich was ...

BERLINER BADEMEISTER – EIN EWIGER TRAUM

Es gab Zeiten, da waren Kinderträume noch simpel: Kleine Mädchen wollten Stewardess oder Primaballerina werden, kleine Jungs träumten von einer Karriere als Polizeikommissar oder Rettungsschwimmer. Die Zeiten haben sich geändert. Die Träume sind ehrgeiziger geworden.

Kein Mensch schwärmt heute mehr für Stewardessen: Die unwiderstehlichen Blondinen von einst, mit ihren marineblauen Kostümen, ihren Pierre-Cardin-Halstüchern und ihrem umwerfenden Lächeln, haben sich in vulgäre Dienstleisterinnen verwandelt. Sie servieren schlechtgelaunten Geschäftsleuten eingeschweißte Mahlzeiten und leiden an Krampfadern, weil sie von morgens bis abends durch enge Flugzeugkorridore staksen müssen.

Die Primaballerina mit ihrem rosa Tutu und ihren fußverdrehenden Spitzenschuhen gilt heute eher als Dummchen. Und von dem Kiezpolizisten, der sich einst so männlich wie Schimanski fühlen durfte, herrscht heute eher das Bild eines rundlichen Beamten vor, dessen heroische Mission darin besteht, Strafzettel auf Windschutzscheiben zu heften und Besoffene von nächtlichen Ruhestörungen abzuhalten.

Nur einer der früheren Halbgötter hat der großen Entmystifizierung widerstanden: der Rettungsschwimmer. In unseren Zeiten des Werteverlusts und der Dekonstruktion von Autoritäten ist dieser muskulöse Repräsentant der Schwimmbadregularien die letzte Respektsperson. Mit seiner Kleiderschrankfigur und der Trillerpfeife um den Hals ist er der unangefochtene König seines chlorierten Aquariums.

Nein, ich denke dabei nicht an den kalifornischen Bay Watcher, diesen Dandy des Bodybuildings, der mit perfekt skulpturierten Blondinen in blutroten Bikinis an seiner Seite über weiße Sandstrände wacht. Ich rede vom handfesten Bademeister der Berliner Bäderbetriebe. Es läge ihm fern, mit dem Surfbrett entfesselte Pazifikwellen zu durchpflügen, um unvorsichtige Schwimmer vor blutrünstigen Haien zu retten. Er braucht diesen Firlefanz nicht: Wenn jemand in Not gerät, lässt er einen guten alten rot-weißen Rettungsring ins Becken plumpsen, ohne sich dabei die Badelatschen zu benässen, mit denen er sich vor Fußpilz schützt. Er braucht auch nicht diese albernen Hawaii-Boxershorts, die die jungen Schönen aus den Fernsehserien der amerikanischen Teenager tragen – ihm reicht ein dezentes weißes T-Shirt, das ihm um die Taille schlabbert. Was soll's, wenn seine Nasenflügel nicht von der feinen Salzbrise des Ozeans erbeben – für ihn tut's auch der schwere Duft von Fritten mit Mayo, der vom Imbissstand herüberweht. Kein weißer, windgekämmter Sand knirscht unter seinen Füßen – na und? Ihm ist das Quietschen des Scheuerlappens beim allabendlichen Kachelschrubben tausendmal lieber. Der Berliner Bademeister ist vielleicht keine glamouröse, dafür aber eine umso glaubwürdigere Identifikationsfigur.

Er ist der Einzige, der die halbstarken Kerle in den Griff bekommt, wenn der Schwimmbadlautsprecher knisternd die Eröffnung des Sprungbretts bekannt gibt. Das Sprungbrett – ein heiliger Jagdgrund, eine exklusiv männliche Zone auf drei Etagen, die sich über dem blauen Rechteck des Schwimmbeckens türmen. In der Warteschlange lassen zwanzig Jungs die Elastikbänder ihrer zeltartigen Boxershorts auf die Puddingbäuche klatschen. Ein wenig befangen beäugen sie gegenseitig ihren Oberlippenflaum und die ersten sprießenden Achselhaare. Mit dem Geräuschpegel einer Truppe

Truthähne versuchen die Minimänner, die Aufmerksamkeit der Mädchen auf der anderen Seite des Beckens zu erregen, um sich dann effektvoll in die Leere zu stürzen: Salto und Arschbombe, Kerze und Köpper. Es geht darum, Muskeln zu zeigen und Geschicklichkeit zu beweisen. Der Beste zu sein. Ein Mann zu sein. Ein echter.

Oben auf dem Hochsitz beobachtet der Bademeister diese angestrengte Demonstration von Männlichkeit mit Wohlwollen. «In manchen Bädern geht's ja heute drunter und drüber», sinniert er. «Hier herrscht Gott sei Dank noch Ordnung.» Das Schwimmbad ist einer der letzten Orte, wo noch eindeutige Regeln gelten: Vorher duschen. Nicht um das Becken rennen. Nicht spritzen. Wer sich nicht dran hält, bekommt Badeverbot. «Früher brauchte man die Jungs nur mal streng ansehen, und sie standen stramm wie die Orgelpfeifen», erinnert sich der Bademeister, und in seiner Stimme schwingt ein wenig Nostalgie mit. Das war wohl zu der Zeit, als die Träume kleiner Jungs noch simpel waren.

BEI ORKAN IM STADTBAD SCHÖNEBERG

Bestimmt finden Sie, dass meine Abhängigkeit vom Stadtbad Schöneberg langsam beängstigend wird oder dass die muskulösen Bademeister mich wohl unwiderstehlich anziehen ... Denn das ist bereits das dritte Stück, das ich dieser Berliner Institution widme. Das begrenzte Universum des Schwimmbades bietet den städtischen Ethnologen eine bequeme Aussichtsplattform. Anstrengende Expeditionen in den tiefsten Wedding sind nicht mehr nötig, und man muss auch nicht im Januarregen die langen Straßen von Treptow durchstreifen, um Rituale und Gedanken der Berliner zu erkunden. Während draußen der Orkan Kyrill wütet und Sturmböen gegen die Glasfenster hämmern, tut es gut, sich inkognito in das heiße Wasser des Whirlpools gleiten zu lassen. Zu zwölft drängen wir uns im blauen chlorduftenden Sud, der uns bis zum Hals bedeckt. In westlichen Metropolen ist eine solche Zusammenballung fremder Leiber nur selten zu finden. Allein der überfüllte Bus um 18 Uhr oder der gläserne KaDeWe-Fahrstuhl während des Ausverkaufs bieten ein Experimentierfeld von vergleichbarer menschlicher Dichte.

Im Becken unterhalten sich zwei Frauen über Uschi Obermaiers Körper. Die eine ist rund wie eine Wassermelone und runzlig wie ein Apfel. Sie trägt einen bonbonrosa Badeturban. «Unheimlich», flüstert sie. Sie ärgert sich und versetzt dem sprudelnden Wasser neidische kleine Fußtritte. Die andere ist dünn wie ein Hering. Auf ihr Schlüsselbein, das unter ihrer rechten Schulter hervorsticht, ist eine schwarze Margerite tätowiert. «Geliftet», tut sie verächtlich kund. Der türkische

Jugendliche neben mir sagt nichts. Uschi Obermaier ist ihm völlig schnuppe. Mit hungrigen Blicken verschlingt er die appetitlichen Rundungen des jungen Mädchens im zitronengelben Bikini, das ihm gegenüber träumt. Ich spähe in die Nacht, die draußen hereinbricht. Ich rühre mich nicht. Wie ein U-Boot tauche ich noch ein wenig tiefer. Und ich belausche die Unterhaltungen. Spionieren ist im Stadtbad Schöneberg eine leichte Kunst.

Seit der «Stern» erotische Fotos der nur mit Netz und Stiefeln bekleideten sechzigjährigen Uschi Obermaier veröffentlicht hat, spricht ganz Berlin nur noch von diesem biologischen Wunder. Vergessen ist die Zukunft des Flughafens Tempelhof, vergessen die Erhöhung der Mehrwertsteuer ... Dem stolzen Sex-Appeal einer Uschi Obermaier jenseits der Menopause mussten die klassischen Stammtischgespräche weichen. Uschi Obermaier ist nicht die einzige Großmutter, die ihren mädchenhaften Körper in den Illustrierten zur Schau stellt. Sophia Loren präsentiert den auf den Pirelli-Kalender abonnierten Lastwagenfahrern ihr spektakuläres Dekolleté. Im «Paris-Match», der französischen «Gala», erklärt Charlotte Rampling in wohlgesetzten Worten, dass man das Altwerden akzeptieren muss und wie viel Freude die großmütterliche Existenz ihr bringt. Illustration: la Rampling, nackt in Netzstrümpfen und Pelzmantel, die Lippen in einem orgasmischen Stöhnen leicht geöffnet.

Die Arme meiner Nachbarin mit dem rosa Badeturban zittern in den aufgewühlten Wassern des Whirlpools wie ein Erdbeerpudding von Dr. Oetker. Die Margerite auf dem Schlüsselbein ihrer Freundin verwelkt zusehends. Sie sprechen über Botox, Hormone, Anti-Aging-Cremes, Liften ... das ganze Arsenal derer, die alt werden, ohne es zu zeigen. Im Hintergrund das durchdringende Kreischen der Kinder. Mit einem Pfiff kündigt der Bademeister die Öffnung des Sprungturms an. Die Jugendlichen strecken die Brust heraus und geben sich gelangweilt. Sie als Einzige träumen davon, älter auszusehen.

Aber ein boshafter Teufel hat unseren gemeinsamen Kochkessel kräftig umgerührt. Im Handumdrehen ist unsere Zufallsgemeinschaft gealtert. Unsere Körper sind rot, unsere Hände zerfurcht, unsere Gliedmaßen aufgeweicht und unsere Haut vom heißen Wasser verschrumpelt. Im Dampf wirken unsere Augen glasig, und die Haare kleben uns wie lange gelbe Algen am Schädel. Wir sehen aus wie die schlaffen Garnelen, die leblos an der Oberfläche eines vietnamesischen Feuertopfs treiben. Selbst das Nymphchen im gelben Bikini ist gealtert. Eine Stunde mit uns im Whirlpool vom Stadtbad Schöneberg, und sogar Uschi Obermaier würde aussehen wie neunzig.

DIE NACHT, ALS PEGGY IM BÜRO ÜBERNACHTETE, ENG AN IHREN CHEF GESCHMIEGT

Peggy habe ich nie vergessen. Wann immer der Streik zuschlägt, muss ich an die Sekretärin eines BBC-Chefs denken, für den ich damals arbeitete. Es ist schon lange her. Ein Streiktag in London. Der Konflikt steckte fest: Vorortzüge, Underground, Doppeldecker ... nichts rührte sich mehr. Seit Tagen war die Hauptstadt gelähmt. Und seit Tagen schlief Peggy vor dem Schreibtisch ihres Chefs. Peggy war eine rührende alte Jungfer mit dicker Hornbrille und Schottenrock. Sie lebte in einem Vorort weit entfernt von der Innenstadt Londons, schon fast auf dem Land. Unmöglich, morgens zur Arbeit zu gelangen. Tagelang sollte sie ohne ihren Chef auskommen! Eine unvorstellbare Perspektive!

Peggy hatte eine Idee. Eines schönen Tages erschien sie mit Feldbett und Campingkocher für den Tee. Als die Nacht kam, schlug Peggy ihr Lager im Büro des Chefs auf. Am nächsten Morgen sahen die Frühankömmlinge Peggy, wie sie durch die Korridore zur Toilette floh. Sie trug einen kleingeblümten gesteppten Bademantel und rosa Pantoffeln. Bei der Redaktionskonferenz saß Peggy mit ihrem Notizblock an vorderster Front und erhaschte wie im Flug jedes Wort, das ihrem Chef über die Lippen kam. Nie zuvor hatte ich sie so glücklich gesehen ... Die Wangen vor Freude gerötet, die Augen glänzend wie nach einer Liebesnacht. Wir alle wussten, dass Peggy in ihren Chef verliebt war. Wunschtraum eines alten Mädchens. Ein dickes Geheimnis. Und dieser Streik war die Chance ihres Lebens. In ihren Gedanken schlief Peggy an den Chef geschmiegt. Außer dass der Chef am Abend nach Hause gegangen war. Mit seinen Wanderschuhen und seinem Spazierstock hatte er sich zu Fuß in das schicke Viertel auf der anderen Seite der Themse begeben, wo seine Frau ihn zum Abendessen erwartete.

Ich bin sicher, dass die Chefs von Berlin und Paris derzeit von der Hingabe einer Peggy träumen. Aber die Peggys gibt es nicht mehr. Diese Woche habe ich kurz nach der Öffnung der Büros versucht, einen Gesprächspartner in Paris zu erreichen. Niemand da. Als hätte eine böse Fee blitzartig alle Bewohner der Hauptstadt in einen hundertjährigen Schlaf versetzt. Ab 11 Uhr wurden dann die Telefonhörer abgenommen. Die Sekretärin der Krankenkasse, Abteilung Beitragszahler, war zu Fuß zur Arbeit gekommen. Sie, deren Stimme normalerweise so fade klingt, sprudelte vor Glück. Sie erzählte mir, dass sie flotten Schrittes den Jardin du Luxembourg durchquert und dann in der Straße zum Panthéon einen großen *Café Crème* getrunken hatte. Bei den Bouquinisten an der Seine hatte sie sich einen Band Verlaine-Gedichte gekauft. Und nun war sie im Büro angelangt. Vor meinem inneren Auge verfolgte ich diesen morgendlichen Streifzug. Paris noch ganz verschlafen, der Pont Neuf im Nebel.

Zweifellos ist ein Spaziergang über Hohenzollerndamm und Fehrbelliner Platz am Morgen von eher relativer Schönheit. Doch kann man einen Schlenker zum Volkspark machen und sich einen Band Brentano in die Manteltasche stecken. Der Streik erfordert viel kreatives Denken. Man muss sich durchwursteln. Man kommt mit dem Moped, dem Fahrrad, dem Roller. Manche trampen, zum ersten Mal, seit sie der Pubertät entwachsen sind. Die Gesichter strahlen Heiterkeit aus. Man hört lautes Lachen. Plötzlich sprechen die Leute miteinander, erzählen sich ihre Abenteuer. Ein Hauch von Freiheit weht über die großen Boulevards.

Der Streik erlaubt einen Ausflug jenseits der Routine. Man löckt wider den Stachel. Ohne schlechtes Gewissen erlaubt man sich eine Übertretung. Schließlich kommen sowieso alle Leute zu spät! Und schuld sind die bockigen Gewerkschafter, die verstockten Arbeitgeber! Endlich darf man in diesen Zeiten der ständigen Überforderung und Überbeanspruchung einmal ein wenig trödeln. Und außerdem erfüllt der Streik die süßesten Träume. Für eine Nacht wird Peggy mit ihrem Chef vereint sein. Und die Sekretärin von der Krankenkasse wird bei einem großen *Café Crème* Verlaine lesen.

DAME PIPIS UNTERIRDISCHES UNIVERSUM

Es geht an der Küche vorbei und drei Stufen hinunter, bevor man auf die Hüterin des Örtchens trifft. An einem Tisch mit einer Wachstuchdecke wartet die Klofrau darauf, dass auf ihrem Teller eine Münze kreiselt. Die Franzosen nennen sie so viel hübscher die «Dame Pipi». Denn häufig – aber das ist Ihnen in der Eile vielleicht entgangen – sieht sie wirklich aus wie eine Dame, mit ihrem kleingeblümten Nylonkittel, ihrer altmodischen toupierten Hochfrisur und ihren blaugeschminkten Augen, die Körperliches und Seelisches mit souveränem Blick umfassen.

Die Dame Pipi herrscht über ein unterirdisches Universum, von dessen Existenz man an der Oberfläche der Stadt nicht einmal etwas ahnt. Auf dem Tischchen zwischen Kondomautomat und Telefonzelle hat sie ihren Altar errichtet: ein Porzellanschälchen für das Trinkgeld, ein schlichtes Blumengesteck aus Plastik, Ansichtskarten aus fernen Paradiesen und eine Thermosflasche mit Kaffee. Diskret nimmt sie weibliche Befangenheit zur Kenntnis: Rasch wird Make-up auf die ramponierte Haut aufgetragen, der Pullover wird zurechtgezupft, um den unvorteilhaften Bauch zu kaschieren. Auf einem Gestell in der Nähe der Waschbecken hat eine besonders zuvorkommende Dame Pipi in einem Restaurant im Grunewald eine Dose Haarspray, ein Fläschchen mit billigem Parfüm, einen Stapel Papiertaschentücher aufgebaut. Sie stellt ihren schnell entschwindenden Kundinnen diese lebensnotwendigen Dinge zur Verfügung und schafft damit die Atmosphäre eines Badezimmers. Man fühlt sich wie zu Hause.

Um die sich endlos dehnende Zeit totzuschlagen, strickt die Dame Pipi, sie löst Kreuzworträtsel und studiert die Kochrezepte in «Bild der Frau». In Paris habe ich sogar mal eine getroffen, die «Auf der Suche nach der verlorenen Zeit» las, mit dem Putzschwamm auf den Knien und immer auf dem Sprung. Eine andere überwachte zum Konzert der Wasserspülungen jeden Nachmittag die Hausaufgaben ihres Enkels. Wie der Straßenkehrer und der Fensterputzer übt die Dame Pipi einen Beruf aus, der vom Renommee her ganz unten angesiedelt ist. Ihre Tätigkeit wird verachtet, weil sie mit den elementarsten körperlichen Erfordernissen in Berührung kommt. Ein auf den ersten Blick anspruchsloses Gewerbe, für das keine besonderen Kenntnisse erforderlich sind. Allerdings wurde in Frankreich versucht, den Dames Pipi eine Prüfung aufzuerlegen. Sie beinhaltet einen theoretischen und einen praktischen Teil: unterschiedliche Funktionsweise von männlicher und weiblicher Blase, Grundkenntnisse in Klempnerei und in der Beseitigung von Verstopfungen, Reinigen eines WC-Beckens in einer vorgegebenen Zeit. Und um dieses schwierig auszuübende Handwerk aufzuwerten und den Irrtum zu beseitigen, bei der Dame Pipi handele es sich um eine Bettlerin, die den Passanten ihren Teller hinstreckt, hat das französische Gesetz über abwertende Bezeichnungen sie zur Angestellten für multifunktionale Erleichterung ernannt, auf Französisch Agent de Soulagement Multifonctionnel, kurz AGM. Das ist nicht so charmant wie Dame Pipi, wirkt aber seriöser.

Die Dame Pipi verfügt über verkannte Talente. Sie kann eine Münze oder einen Hosenknopf an dem Klang erkennen, mit dem er sich auf dem Teller dreht. Eine, die ich kenne, ist auch Kartenlegerin. Aus Herzbube und Pikass kann sie das Schicksal herauslesen. Wenn man die Stufen wieder hinaufsteigt, sieht man einer strahlenden Zukunft entgegen. Nachsichtig drückt die Dame Pipi ein Auge zu, wenn das Portemonnaie in der Jackentasche über dem Stuhl oben im Speisesaal vergessen wurde. Diese Kundinnen verdrücken sich unauffällig. Sie schleichen die Wände entlang, verlassen den Schauplatz auf Zehenspitzen, schmuggeln sich zum Ausgang und hoffen, dass die Herrin des Ortes sie nicht bemerkt hat.

Wie Sie sicher schon bemerkt haben, beschränkt die Aufgabe der Dame Pipi sich nicht darauf, die Toilette sauber zu halten. Die Dame Pipi übt eine ganz besondere soziale Funktion aus. Sie ist zugleich Gesellschaftsdame. Schweigsam, diskret, höflich ... sie spielt eine wichtige Rolle. Manchmal wird man im Untergrund von Berlin Zeugin philosophischer Gespräche, intimer Geständnisse, sogar von Tränen. Neben dem Händetrockner breiten die Einsamen, die niemandem zum Reden haben, ihr Leben aus. Andere sprechen über das sich eintrübende Wetter und den verunglückten letzten Berliner Sommer. Man schimpft auf die Hunde, während die Schuhe am Mülleimer vom Hundekot befreit werden. Doch wie lange wird dieses kleine Gewerbe mit all seiner Weisheit noch überleben? In den Autobahnraststätten sind die Dames Pipi schon wegrationalisiert worden. Sie wurden durch gewöhnliche Automaten ersetzt. Es ist wie in der Pariser Metro. Die Fahrkarte wird in den Schlitz geschoben, und das Türchen öffnet sich geräuschlos. Dahinter wartet ein steriles Universum, ohne gute Seele und ohne Gespräche.

DIE HEILIGE AUS DER SANDALENABTEILUNG

In Berlin gibt es unerkannte Heilige, die im Brodeln der Stadt übersehen werden. Ergeben und ohne Murren erfüllen sie ihre Aufgabe. Sie leben mitten unter uns und sind dabei ganz durchsichtig. Jeden Tag begegnen wir ihnen, ohne sie auch nur zu bemerken. Eine von ihnen kenne ich, und wie das bei Heiligen häufig der Fall ist, verbringt sie den ganzen Tag auf den Knien. Niedergedrückt und mit gebeugtem Rücken erhebt sie von Zeit zu Zeit ihre von Barmherzigkeit erfüllten Augen zum Himmel über Berlin. Meine Heilige ist Schuhverkäuferin bei Leiser, gegenüber dem KaDeWe. Sie lebt nahe am Himmel, in der letzten Etage, gleich hinter der Hausschuhabteilung.

Viermal im Jahr suche ich sie auf. Mein Leben als Mutter wird durch vier Jahreszeiten eingeteilt: die Zeit der gefütterten Stiefel, die Sandalenzeit, die Zeit der Stadtschuhe. Und die vierte Jahreszeit ist die der Geburtstage: die Zeit der Fußballschuhe. Viermal im Jahr breche ich mit den Kindern zur Pilgerreise in die Tauentzienstraße auf. Und jedes Mal empfängt uns die heilige Leiser mit dem gleichen gütigen Lächeln. Sie kann wahre Wunder vollbringen: So versteht sie es etwa, auf den ausgestreckten Armen eine Pyramide von Schuhkartons zu balancieren, während eine Horde von entfesselten Kindern und ihre kurz vor dem Nervenzusammenbruch stehenden Mütter um sie herumwirbeln. «Ach, alles eine Frage der Gewohnheit», seufzt sie, als ich sie zu ihrer Geduld beglückwünsche.

Seit das Schuhhaus Leiser sich zu einem Karussell in der

Kinderschuhabteilung entschlossen hat, um seine wilde Kundschaft zu bändigen, wird ein harmloser Sandalenkauf zum Abstieg in die Hölle. Bevor es das Karussell gab, ließen die Kleinen sich wenigstens noch herab, einen Blick auf die Schuhreihen zu werfen. Sie suchten ein Paar Stiefel mit blinkenden Absätzen und klobigen Skinhead-Sohlen aus. Wir Mütter mussten sie dann davon abbringen. Seit der Ankunft des Karussells feuern die Kinder ihre alten Schuhe auf den Boden und stürzen sich entfesselt in die Löwengrube. Mit roten Gesichtern, verschwitzt und völlig außer sich zeigen sie die Zähne und fahren die Krallen aus, wenn man sie anfleht, die Schuhe anzuprobieren. Die Mütter schreien, drohen, zerren die Kinder am Ärmel. Die heilige Leiser bleibt unbewegt. Ich bin sicher, dass ich gesehen habe, wie sich an einem Samstagnachmittag im Frühling ein Heiligenschein um ihren Kopf gebildet hat. Nein, Herr Direktor Leiser, das hat Ihre Heilige nicht verdient! Bitte entfernen Sie das Karussell und, ich beschwöre Sie, stellen Sie am Fahrstuhl einen Automaten mit kostenlosen Beruhigungsmitteln auf!

Die heilige Leiser erträgt ihr Schicksal mit beispielhafter Geduld. Bevor ich Kinder bekommen habe, die viermal im Jahr neue Schuhe brauchen, hatte ich geglaubt, Museumswärter sei der schlimmste Beruf, den es gibt. Stundenlang in stillen Ausstellungsräumen auf und ab zu gehen, in denen niemals etwas geschieht. Aber ich habe meine Meinung geändert: Die Gesellschaft eines schweigenden Fragonard ist der Gesellschaft Berliner Gören auf einem Karussell bei weitem vorzuziehen.

BÜGELN MIT BIENZLE

Haben Sie schon mal in die Höhe geschaut, wenn Sie an einem Sonntagabend durch Berlins verlassene Straßen gehen? Haben Sie das bläuliche Licht bemerkt, das in Ihrer Straße hinter allen Fenstern flimmert? Haben Sie diese drohenden langen Schatten gesehen, die die Wände der stillen Wohnungen entlangschleichen? Die Telefone sind abgestellt. Die Handys antworten nicht. Der Sonntagabend: ein beunruhigendes Ritual, das sich heimlich, in der Intimität der Wohnzimmer, abspielt. Die kollektive Trance beginnt um 20.15 Uhr. Nach dem Wetter.

Der Tatort ist ein zuverlässiger Zeitmesser, der in unserem Leben wie im Ablauf unserer Woche den Takt angibt. Zum Abschluss des Wochenendes markiert der Tatort eine letzte Atempause, eine Zäsur vor der neuen Woche. Er beschließt den Sonntag und eröffnet den Montag. Allerdings ist es nicht damit getan, dass man sich müßig im Sessel räkelt, während Hauptkommissar Max Ballauf auf der Jagd nach einem flüchtigen Delinquenten von Dach zu Dach springt. Man muss mindestens so viel Energie aufbringen wie er. Interessanter als die Ermittlungen, die sich auf dem Bildschirm abspielen, sind meiner Meinung nach die Aktivitäten, die zu gleicher Zeit vor dem Fernseher stattfinden. Während der von einer kugelsicheren Weste beschützte Hauptkommissar Till Ritter unter den S-Bahn-Brücken ein Verfolgungsrennen mit dem Auto aufnimmt, weiß ich, dass manche Frauen sich die Beine enthaaren, andere wiederum eine Schicht Nagellack auf die Zehennägel auftragen. Während eine zu Mus gewordene Leiche in Himbeerschnaps verwandelt wird, gibt es, wie man mir berichtet hat, emanzipierte Männer, die ohne mit der Wimper zu zucken und mit großer Sorgfalt ihre Hemdkragen bügeln und die Knöpfe wieder annähen, die im Laufe der Woche von ihren Jacken abgefallen sind. Über die gleichzeitig zum Tatort stattfindenden Tätigkeiten habe ich schon viel gehört: vom Aussortieren alter Zeitungen bis zur Lohnsteuererklärung, vom Sudoku bis zum Schuheputzen, von der Bauchmuskelgymnastik auf einem kleinen Orientteppich bis zum Verfassen einer Glückwunschkarte zur goldenen Hochzeit einer alten Tante. Wer sich bei der mentalen Gymnastik besonders geschickt anstellt, kann sich telefonisch nach den Eheproblemen der Freunde erkundigen und gleichzeitig versuchen, mit Ernst Bienzle den Stuttgarter Serienmörder zu entlarven. Die Zeit muss genutzt werden, damit bis zum Montagmorgen alles fertig ist. Das Wohnzimmer wird zur Werkstatt. Man ist geschäftig. Man schneidet aus, man hämmert, man wienert, man schmirgelt, man malt. Auf dem Bildschirm: Vergewaltigung, Inzest, Korruption, Pädophilenring, Metzelei. Auf dem Sofa: Nagelfeile und eine Tasse grüner Tee.

Die Tatort-Kommissare sind nicht so unscheinbar wie Kommissar Maigret, den ich als Kind vergötterte. Bei Maigret gab es kein Blut, höchstens einmal ein paar Faustschläge. In seinem ewigen Regenmantel stocherte Maigret mit ernster Miene in seiner Pfeife. Er ähnelte weder einem Großstadt-Playboy noch einem rührenden Verlierer, sondern, in Schwarzweiß, einem Durchschnittsfranzosen in einem melancholischen Frankreich, in einer tristen Provinz. Viel Regen und Nebel. Viel Langeweile und heruntergeschluckter Hass. Familiengeheimnisse und erstickende bürgerliche Moral. Keine Charlotte Lindholm, keine Lena Odenthal. Ein Frauenbild dagegen, das alles mitbringt, was Eva Herman begeistern müsste: Aufmerksam, ihrem schweigsamen Ehemann völlig ergeben, servierte Madame Maigret die Gemüsesuppe. Liebenswürdig und meistens per Telefon nervte sie den armen Maigret mit ihren mütterlichen Ratschlägen. Es war eine andere Zeit.

Im Tatort wie im Leben hat die Gewalt in der Welt der Erwachsenen zugenommen. Die Kinder wissen das genau. Am Sonntagabend springen sie immer wieder aus dem Bett, schleichen auf Zehenspitzen die Flurwände entlang und stecken den Kopf durch die Tür: «Wann dürfen wir denn endlich mal den Tatort sehen?» Der Tatort ist ein Übergang, eine Initiation, die Leiter, die von der Unschuld der Kindheit in das wahre Leben mit seinen Leichen, seinen Unterschlagungen, seinen gefährlichen Liebschaften führt. Wer am Sonntagabend den Tatort sehen darf, ist in das Erwachsenenalter eingetreten und wird zudem die Woche mit einem gutgebügelten Hemd und glatten Beinen beginnen.

LECKERE TIERE, GEMISCHTE GEFÜHLE

«Eigentlich sollte man keinen Thunfisch mehr essen!»

Ich suche keinen Streit. In aller Unschuld habe ich einfach nur ein Tekka Don bestellt, Thunfisch auf warmem Reis, und meine Zeitung aufgeschlagen. Es ist ein Uhr. Ich sitze an dem großen Tisch in meiner Lieblings-Sushi-Bar, einem der Plätze, von dem aus ich die Berliner Sitten beobachte. Die Frau, die dieses Verbot mit einer vor lauter Tugend ganz erstarrten Stimme ausgestoßen hat, wendet sich allerdings nicht direkt an mich. Sie spricht mit ihrer Freundin, die ihr gegenübersitzt. Dass der Vorwurf mir gilt, steht jedoch außer Zweifel. Ich kenne die Strategie der wirklich Furchtlosen sehr gut: Man schickt seine Botschaften auf Umwegen los und tut so, als wenn nichts wäre, und zugleich vergewissert man sich, dass sie das Ohr der Schuldigen auch wirklich getroffen haben.

Ich stecke meine Nase wieder in die Zeitung und warte auf mein Tekka Don. Meine Nachbarin stürzt sich in einen endlosen Tunnel, einen eintönigen Monolog über die Gefahren der Thunfischjagd in Japan, die Ausrottung der Spezies, die Gewissenlosigkeit von Personen, die sich immer noch nicht entblöden, Thunfisch zum Mittagessen zu bestellen, als wäre es das Normalste der Welt. Der Teint der Moralpredigerin ist grau, ihre Augen sind trübsinnig, ihre Laune passt zu diesem verfrühten Berliner Herbst. Sie erinnert mich an das oberlehrerhafte und ziemlich triste Deutschland der siebziger Jahre. Mein Essen wird gebracht. Ich spiele den Agent provocateur und lasse mir das zarte rote Fleisch genießerisch auf der

Zunge zergehen. Ich lecke mir die Lippen. Ich stöhne vor Vergnügen. Nein, meine Nachbarin wird mir den Appetit nicht verderben! Ich räche mich, und das tut mir gut. Als ich aufstehe und gehe, höre ich, wie sie sich in das nächste Opfer verbeißt: «Lachs! Und das heute! Genauso gut könnte man ein Röhrchen Antibiotika schlucken, das kommt aufs selbe raus!» Ich ergreife die Flucht.

Um vier Uhr trinke ich mit Ella Danz auf dem Balkon Tee. Ella Danz schreibt Kriminalromane. Sie ist meine Nachbarin. Sie recherchiert für ihren nächsten Roman. Sie schreibt über einen Koch und braucht die Rezepte einiger elsässischer Gerichte. Stolz schwenke ich die kulinarische Fahne meiner Heimat: Sauerkraut – Baeckehoffe – Gänseleber. «Unbedingt Gänseleber!», sage ich begeistert. «Die Gänseleber ist die Seele des Elsass!» Mir läuft das Wasser im Mund zusammen. Ahnungslos habe ich mich auf ein Minenfeld gewagt. «Ah!» Ella Danz stößt einen so spitzen Schrei aus, als hätte ich ihr einen Becher Zyankali serviert. Sie erbleicht. Ich glaube, dass ihr gleich schlecht wird und sie inmitten der Oleandertöpfe ihren Geist aufgibt. Fast eine Szene wie im Krimi. Doch sie kommt wieder zu sich. «Nein, nein, mir macht Gänseleber nichts aus. Ich bin da nicht dogmatisch. Aber ganz sicher bekomme ich Probleme. Also lieber nicht.» Ich weiß nicht, ob Agatha Christie sich derartig um das seelische Befinden ihrer Landsleute gesorgt hätte. Wir sprechen über das so sensible Deutschland. Und wir entscheiden uns für das Zwiebelkuchenrezept. Ella Danz geht mit meinem Backbuch unter dem Arm. Als sie verschwunden ist, wird mir klar, dass meine Fähigkeit zur Verdrängung riesig sein muss. Zu selten denke ich nach, wie die Gänse gestopft werden. Und wenn ich vielleicht Schmähbriefe bekomme, habe ich Pech gehabt. Ich weiß nur, dass Gänseleber göttlich ist – mit einem Gewürztraminer oder einem Hauch dunkler Schokolade, wie man sie heute serviert, wenn man modern sein will.

An jenem Abend überfällt mich das Schuldgefühl. Während ich eine Scheibe Vollkornbrot mit einem Früchtetee hinunterspüle, ziehen vor meinem inneren Auge alle meine früheren Sünden vorbei: Gänseleber in Aspik, Hummer, der lebend ins kochende Wasser geworfen wird, mit Kräutern der Provence gegrillter Thunfisch, die Drosselpastete meiner Großtante Mireille, rosinengefüllte Tauben, Froschschenkel, dutzendweise Schnecken mit Knoblauch, Austernplatten ... all diese verbotenen Gerichte, die verwünschten Freuden, die mir die Ausweisung aus Deutschland einbringen können.

DIE DEUTSCHENMACHER

Wie stellt man es an, Deutsche zu werden? «Da meldet sich gar keiner! Ich schaue woanders», antwortet die erloschene Stimme der Telefonistin im Innenministerium. Mozarts «Kleine Nachtmusik». Ich darf von einem Apparat zum nächsten tanzen. «Augenblick, da verbinde ich Sie mal mit dem zuständigen Referat!» ... «Derjenige ist nicht am Platz» ... «Kleinen Moment Geduld, bitte!» ... «Ich versuch's nochmal» ... Nach mehreren Runden und immer neuem Schweigen, nur unterbrochen durch meine Frage, die an einem Oktobermorgen von Büro zu Büro gereicht wird und anscheinend überall großes Erstaunen auslöst, erhalte ich endlich die erbettelte Antwort: «Staatsangehörigkeitsbehörde», ein Wort so lang wie ein Güterzug. Ein Wort, bei dem man aus der Puste kommt, bei dem man über jede einzelne Silbe stolpert. Ein sehr deutsches Wort.

Im Rathaus Schöneberg hält sich die Telefonistin nicht mit rein dekorativen Höflichkeitsfloskeln auf. «Hallo, ja!», wirft sie mir ins Ohr. Ich tröste mich damit, dass diese barsche Anrede wenigstens direkt ist. Inzwischen hasse ich die Empfangsdamen in den Hotels für Geschäftsleute, die einen zwanzig Sekunden (ich habe die Zeit gestoppt) hinhalten, indem sie einem ihren Namen, ihre Funktion, alle guten Wünsche für den Tag herunterleiern. Und schließlich, wenn man den Apparat vor Wut am liebsten fressen würde, flöten sie einem entgegen: «Was kann ich bitte für Sie tuuuun?» In null Komma nichts hat die Telefonistin im Schöneberger Rathaus mich mit dem für die Einbürgerung zuständigen Beamten verbunden.

Ich würde nicht behaupten, dass Herr Deutsch mich mit offenen Armen empfängt, aber er tut seine Arbeit gewissenhaft und zählt mir die Bedingungen auf, die ich zu erfüllen habe. Papierrascheln, und dann schnellt er los wie ein 400-Meter-Läufer beim Endspurt. «Feste Arbeit haben Sie. Vorbestraft sind Sie nicht. In Deutschland wohnen Sie seit mehr als acht Jahren. Deutsch sprechen Sie auch, wie ich merke.» Ich fühle mich, als müsste ich nochmal das Abitur machen. Hoffentlich habe mich nicht in die Konjugation verstrickt und die Fälle gut gewählt. Ich halte die Luft an. «Deutsch korrekt!», bezeugt Herr Deutsch. Ich atme auf.

«Werden viele Einbürgerungsanträge gestellt?» Meine Frage scheint mir gerechtfertigt. Denn wer, um Himmels willen, belädt sich freiwillig mit einer so schweren Identität und als Dreingabe auch noch mit einer so katastrophalen Vergangenheit? «Es gibt mehr Leute, die einen Antrag stellen als die Staatsbürgerschaft bekommen!», sagt Herr Deutsch. Aber ich bin einer der wenigen Bürger der Europäischen Union, die sich darum bemühen. Na, hatte ich's mir doch gedacht. Herr Deutsch möchte mich beruhigen: «Nach dem, was ich höre, sieht es für Sie gut aus. Sonst hätte ich Ihnen abgeraten.» Ich erfahre, dass ich die Grundwerte der Freiheitlichen Demokratischen Grundordnung anerkennen muss. Ein gut erklärter Vordruck soll mir zugeschickt werden. Ich frage, wann ich schwören muss, die rechte Hand erhoben, die linke auf dem Herzen. Ich fände es ziemlich schick, wenn ich mich dabei in die deutsche Fahne einwickeln würde wie Claudia Schiffer, die in den Farben der Tokioter U-Bahn bei den ausländischen Investoren für die Kreativität ihres Landes wirbt. Dazu würde eine kleine Blaskapelle das Deutschlandlied spielen. Herr Deutsch würde mir einen Tulpenstrauß überreichen. «Nein! Nein!», unterbricht Herr Deutsch meine Träumereien. Die einfache Unterschrift am Ende eines Formulars genügt.

«Und, wollen Sie gar nicht wissen, ob meine Beweggründe wirklich tief gehen?» Naiv stelle ich meine Frage. Dieser Vorstoß ist im Grunde nur ein kleiner Test, der mir zeigen soll, was passieren würde, wenn ich tatsächlich Deutsche werden wollte. Meine Frage ist nicht ernst gemeint. Aber jetzt, wo ich diesen Schritt unternommen habe, wo der Bedienstete mir ankündigt, dass die Formulare morgen in meinem Briefkasten liegen und ich, wenn alles glattgeht, in sechs Wochen, spätestens in sechs Monaten, Deutsche sein werde, jetzt lasse ich mich auf das Spiel ein. «Wie Sie sich fühlen, interessiert uns nicht.» Ach, fast hätte er es vergessen: Deutsche zu werden kostet 255 Euro. Der Betrag ist in zwei Raten zu zahlen: 191 Euro bei der Anmeldung. Der Rest, wenn man den neuen Pass entgegennimmt.

«Die Deutschen schicken Sie erst mal an die Kasse!», ereifert sich der französische Beamte, als ich ihm von meinem Abenteuer erzähle. Und ich merke genau, dass Monsieur Français das Herrn Deutsch übelnimmt. Franzose zu werden kostet nichts! Ohne einen einzigen Cent zu zahlen, erben Sie die Universelle Erklärung der Menschenrechte, das Cassoulet und Coco Chanel. Keine Kollektivschuld, fast keine dunkle Vergangenheit. Ein Traum!

Die Unterlagen zur Einbürgerung sind gestern mit der Post gekommen. Ich habe sie auf meinen Schreibtisch gelegt. Von Zeit zu Zeit beäugen wir uns skeptisch.

SO LEICHT! EIN KÜNSTLER DES KROKANTS!

In meiner Straße hat eine neue Konditorei aufgemacht! Ich beschleunige meine Schritte: Könnte es sich um die gastronomische Rettung Schönebergs handeln? Der Name des neuen Ladens verrät: Der Bäcker ist ein Dichter!

Allerdings verheißt der ärmliche Reim wenig Gutes über das kreative Potenzial des Konditors (ich liebe dieses Wort, es klingt wie ein Echo vom italienischen Operntenor). Ich unterdrücke mein instinktives Misstrauen und öffne mutig die Tür. Die Atmosphäre im Inneren ist aseptisch. Neonleuchten zieren die Decke. Kein Duft von Vanille, kein Aroma von Gewürzen dringt an meine bebenden Nasenflügel. Hinter dem Panzerglas der Vitrine: militärisch angeordnete Backwaren.

«Was soll's sein», fährt mich die Verkäuferin an. Meine Augen bleiben an einer Batterie von Obstplundern hängen, die Traktorreifen ähneln. Daneben ein halbes Dutzend Amerikaner, mit bleierner Schokoladenkruste versiegelt. Weiter finden sich dort – der Konditor will offenbar sein literarisches Können unter Beweis stellen – merkwürdige Gebilde namens «Asterixkraft»: mit trockenen Rosinen und Erdnüssen bestreute Rechtecke, ideal für den Stoffwechsel, aber zum Zähne-dran-Ausbeißen. Die «Streuselhappen» sehen aus wie besonders feuchtigkeitsarme Parzellen der Sahelzone. Wie versteinert stehe ich vor dieser bizarren Auswahl.

Ich fühle die Ungeduld der Verkäuferin, deren irritierter Blick wie eine Pistole auf meinen gebeugten Nacken gerichtet ist. Um sie zu beschwichtigen, stelle ich eine wohlwollende Frage: «Hausgemacht?» Sie feuert sofort zurück: «Unser Jebäck kommt aus 'ner Großbäckerei in Köpenick und wird per Lkw jeliefert.» Mein indignierter Blick heftet sich am roten, klebrigen Rand der «Ochsenaugen» fest, und ich frage mich, wer wohl auf die Idee gekommen ist, einer vorgeblichen Delikatesse einen solch abstoßenden Namen zu verpassen. Ich gebe mir Mühe, Gerechtigkeit walten zu lassen: Der Konditor hat vermutlich das Herz eines Künstlers und will seinen Geistesverwandten Ehre erweisen. Nur deshalb hat er diese mit Orangenmarmelade bestrichenen Quadrate «Picassoschnitten» getauft. Die Bäckerin trommelt mit nervösen Fingern auf dem Tresen, ich spüre, dass ich mich schneller entscheiden muss. Mein Blick fällt auf den letzten Kuchen in der Vitrine, die letzte Chance, die Apotheose in diesem Gruselkabinett: «Eclair mit schokoladenhaltiger Fettglasur»! Was da liegt, sieht aus wie ein Stück Gummi, gestopft mit einer gräulichen, unidentifizierbaren Masse irgendwo zwischen anthroposophischer Zahnpasta und der Schmiere, mit der man Wanderschuhe imprägniert. Endlich folge ich dem Überlebensreflex und verlasse fluchtartig den Laden. Zu gruselig zum Probieren.

Dann sitze ich mit leerem Bauch auf dem Balkon und blättere in einem französischen Journal. Dort stolpere ich über einen kleinen Artikel, in dem der neueste, angesagte Konditor von Strasbourg gepriesen wird: «Ein Prinz der Patisserie! So frisch! So leicht! Ein Künstler des Krokants!» Der Gastro-Kritiker verliert sich in einem Loblied für luftige Vanilleschnittchen und Brombeer-Veilchen-Makronen mit Likör («verstörend gut!»). Seine Beschwörungen von Café-Prinzen und Zitronentörtchen zergehen mir auf der Zunge, ich schmelze dahin, träume von Eierlikör und halluziniere von Kakao, schwelge in der subtilen Grazie von Krokant-Mandeln, filigran gedrechselt wie Brüsseler Spitze.

Ich weine vor Nostalgie, vor Neid, vor Wut! Ein einziger tröstender Gedanke fährt mir durch den Kopf: Nächste Woche bin ich in Strasbourg. Und wenn ich dann gut gelaunt nach Berlin komme, werde ich einen Putsch anzetteln, um «Eclairs mit schokoladenhaltiger Fettglasur» zu verbieten, die einem den Nachmittag in Schöneberg vergiften können.

MATRATZEN IN HABTACHTSTELLUNG

Von morgens bis abends dreht sich in Berlin alles um den Schlaf – jedenfalls könnte man auf den Gedanken kommen, wenn man die Matratzengeschäfte zusammenzählt, die in der Hauptstadt wie die herbstlichen Pfifferlinge aus dem Boden schießen. Sie beleidigen das Auge, diese in kaltes Neonlicht getauchten Schaufenster, sie verunstalten die schönsten Jugendstilfassaden und entweihen historische Plätze. Was sieht man vom Schöneberger Rathausbalkon aus, auf dem Kennedy sich zum Sohn der Stadt erklärte? Bataillone von Matratzen, in stummer Habtachtstellung erstarrt.

Leicht ist es, sich von üppigen Wonnephantasien davontragen zu lassen, denkt man an Matratzen und an die Träumereien, die sie des Nachts erregen: Matratzen, bedeckt mit Seide und edelsteinbesetzter Spitze ... ein orientalisches Paradies, eine laszive Stadt unter dem Sternenhimmel, in der allein der Genuss zählt. Berlin, Hauptstadt des Hedonismus. «Unter schönen Bettlaken verbirgt sich eine schmutzige Matratze», weiß ein kreolisches Sprichwort. Denn der Schein trügt. In Berlin heißt Tausendundeine Nacht: Latex, Federkern, Kaltschaum, Taschenfederkern, Federung, Punktelastizität. Unter seinen Matratzen versteckt Berlin keinen mit Golddukaten gefüllten Wollstrumpf, sondern seine Milliardenschulden. In Berlin erzählt Scheherazade ihrem Kalifen Nacht für Nacht grausame Geschichten von Ischias und Schweißausbrüchen, von Schlaflosigkeit und Allergien. Scheherazade stammt aus dem Schwarzwald. Auf ihren breiten Schultern sitzt ein wasserstoffblonder Kopf. Sie verkauft Matratzen in Berlin. Das ist ihre Mission. Denn beim Matratzenverkauf, so sagt sie, ist man für die Gesundheit verantwortlich. «Es könnte dem Rücken schaden, wenn wir etwas falsch machen! Wir bewegen uns auf sehr dünnem Eis! Man kauft eine Matratze nicht wie die Katze im Sack, das sag ich jetzt mal so!»

Einst war der Kauf einer Matratze eine Anschaffung fürs Leben. Man kaufte sie vor der Hochzeit, die Kinder wurden darauf geboren, die Jahre vergingen, und eines Morgens starb man mit offenem Mund in der Kuhle ebendieses Bettes. An der Matratze ging das Alter nicht spurlos vorüber: Die Wölbungen des Körpers, Verwerfungen, Schluchten, Flecken. Myriaden von Milben und anderen fleischfressenden Insekten hatten in den Tiefen der Wolle unterirdische Tunnelsysteme geschaffen. Früher waren die Matratzen eine einzige Berg-und-Tal-Landschaft.

Heute sind sie topfeben wie eine Autobahn. Sie sind leblos und haben keine Geschichte. Sie heißen Toskana Forte, Quadromed H4 oder Vitalis Dream. Denn heute wechselt man die Matratzen wie den Ehemann: alle sieben Jahre. Der Matratzenkauf kann leicht zum Albtraum werden. Eine transzendentale Erfahrung. «Es geht nicht nur darum, eine Matratze zu kaufen. Haben Sie sich schon mit Energieströmen beschäftigt?», fragt Scheherazade. Sie weiß, dass die Seele eines Verstorbenen noch drei Tage unter uns weilt, nachdem sein Körper die Matratze schon verlassen hat.

Nein, Scheherazade spinnt nicht. Versuchen Sie doch mal eine Antwort auf eine scheinbar leichte Frage: Was ist ein Bett? Einfach nur die Verbindung von Bettrahmen und Matratze? Matratze und Schläfer bilden ein unzertrennliches Paar, das harmonisch zusammenleben muss. «Der Körper soll nicht gegen die Matratze kämpfen, sondern die Matratze muss sich dem Körper anpassen», sagt Scheherazade. Eines der schönsten französischen Liebeslieder erzählt von einem kleinen Schuster, bettelarm, aber voll Charme: Er erobert das Herz der schönen Prinzessin, indem er die Matratze beschreibt, auf der sie nach der Hochzeit liegen werden: «In der Mitte des Bettes ist der Fluss so tief. Alle Pferde des Königs könnten zugleich hier trinken. Und wir würden hier glücklich schlafen bis ans Ende aller Tage.» Statt für einen Königssohn oder einen tapferen Krieger entscheidet die Schöne sich für die magischen Kräfte der Matratze, wie der arme kleine Schuster sie beschwört.

DAS BUCH DER STRASSE

Berlin ist ein Buch. Wie ein dickes Register voller dringender Nachrichten lässt sich diese Stadt durchblättern, wie ein Lexikon der Liebeserklärungen, ein Kompendium autoritärer Kommandos. Man muss nur einmal in Begleitung eines kleinen Jungen, der gerade mit Begeisterung lesen lernt, durch die Stadt laufen, dann verwandelt sie sich ganz von selbst in ein uferloses Hieroglyphenmeer.

Auf dem Heimweg von der Schule laufen wir von Baum zu Baum, wie andere Leute von einer Zeile zur nächsten gleiten. Vom Novemberregen ausgeblichene Zettel, an Baumstämme getackert, an Laternenmasten geklebt, ziehen unsere Blicke auf sich. Der Briefkasten an der Kreuzung lockt auf der Rückseite mit einem «Speck-Weg-Angebot», auf der Vorderseite mit «Herr, segne Israel». Ein Stück weiter passieren wir eine stark politisierte Platane: Ein rotes Quadrat fordert: «Nein zur Studiengebühr!», ein blaues Rechteck definiert: «Antifa ist Angriff!» Auf der Mülltonne am Ende der Straße scheint eine Frau – Konfektionsgröße 38, Schuhgröße 39 – radikal mit ihrer Existenz brechen zu wollen. Alles verschleudert sie: ihr blaues Schlafsofa, ihr Damen-Rennrad, ihre Motorrad-Lederhose und eine Originalausgabe der Geschichten von Dr. Doolittle. Ich bekomme Lust, sie anzurufen und ihr zu raten, mit der esoterischen Straßenlaterne ein paar Meter weiter Kontakt aufzunehmen, die behauptet, ein unfehlbares Rezept für «Mehr Nähe zu sich selbst» gefunden zu haben. «Fuck your mother on the beach!», krakeelt ein Graffito auf dem Telefonkasten hinterm Spielplatz. Ich versichere meinem Sohn, kein Englisch zu verstehen, und verbringe den Rest des Tages damit, mir über die Bedeutung dieser einigermaßen poetischen Aufforderung klarzuwerden.

Überall begegnen uns Wörter. Schon dreimal habe ich diese Woche unter dem Scheibenwischer meines alten Golfs eine Visitenkarte gefunden, mit der Bitte, meinen Wagen zu verkaufen, «jetzt oder später». Trotz der Schrammen! Trotz des Drecks! Ich empfinde eine Art primitiven Stolz. Jeder Werbeträger ist geeignet für die große urbane Kommunikation: Mit dem Slogan «Bin ich wirklich der Vater?» will die Klopapierrolle in der Damentoilette des International-Kinos einen Gentest verkaufen. Und jeden Freitagmorgen sprießen frische weiße Zettelchen an den Bäumen meiner Straße: «Abbau. Entrümpelung. Entsorgung.» Alles wird mitgenommen: «Elektrogeräte (auch defekte), Handys, Angelzeug». Eine Einladung, kurz vor dem Wochenende noch schnell sein Leben zu verändern?

Aber heute herrscht Panik in unserem untadeligen, gesitteten Mietshaus. An der Eingangstür hängt ein Foto, auf dem ein beunruhigendes Pärchen dem Betrachter seine nackten Oberkörper präsentiert. «Wir sind ausgezogen, um hier einzuziehen», informieren sie den Leser. Sie suchen eine Wohnung im Viertel. Wollen diese beiden etwa den Frieden unserer kleinen Gemeinschaft stören? Lauert unter dieser Steuerberater-Miene vielleicht ein Massenmörder? Und unter dem treuherzigen Landpomeranzen-Lächeln eine übelwollende Hexe? Was für Satansmessen, was für Sexorgien und kannibalische Festmahle werden sich hier abspielen, wenn diese zwei sich erst mal in der Etage unter uns breitgemacht haben? Nach einigem Nachdenken scheint es mir plötzlich, als ob die Lektüre des großen Buches der Berliner Straßen gefährliche Halluzinationen nach sich zieht. Vielleicht sollte mein Sohn doch lieber mit Dr. Doolittle lesen lernen. Ich werde sofort die verzweifelte Frau vom Mülleimer am Ende der Straße anrufen.

WINTER

DER GEKLONTE KARNEVAL

Bis zu jenem Tag war der Karneval für mich nichts weiter als eine blasse Erinnerung aus der Kindheit: Auf der Rückfahrt aus den Skiferien in Österreich drückten mein Bruder und ich uns an den beschlagenen Scheiben des Familien-Peugeots die Nasen platt. Wir beobachteten die Trauben von traurigen Clowns, die Reihen von beschwipsten Indianern, die durch die Hauptstraßen deutscher Kleinstädte defilierten. Zwanghafter Frohsinn unter graupelgrauem Himmel. Eine eigenartige Tristesse, die für uns das Ferienende bezeichnete.

Seit Jahren bestätigt der Berliner Karneval diesen instinktiven Widerwillen immer wieder. Keine Verrücktheit, keine befreienden Ausschweifungen, kein Samba, keine Kamellen, weder Helau noch Alaaf. Im Protestantenland versagt man sich diese fünf Tage der Anarchie, in denen die Gesellschaftsordnung auf den Kopf gestellt wird und jeder ein anderes Leben für sich kreiert. Kein Richter von Moabit zieht trommelschlagend durch die Kneipen der Stadt, kein stilles Hausmütterchen verwandelt sich in eine extravagante Femme fatale. In meiner Bank vertauscht kein Angestellter seinen anthrazitgrauen Anzug gegen Netzstrümpfe, und die Kassiererin von «Nah und gut» verwandelt sich nicht in eine dunkle Zigeunerin aus dem fernen Morgenland. Zu Karneval werfen die Berliner ihre Alltagshaut nicht ab; eingemummt in ihre Anoraks sehen sie sich am Straßenrand den kümmerlichen Umzug durchgefrorener Narren an. Die ganz Mutigen unter ihnen haben sich eine rote Nase oder ein langweiliges Hütchen aufgesetzt. Dazu ergießt sich das üppige Tief Viktoria auf dieses missglückte Fest. Berlin mag sich noch so viel Mühe geben, sein mickriger Karneval ist doch nur der trostlose Klon der rheinischen Bacchanale.

Daraus könnte man fast schließen, die Hauptstadt würde den jubelnden Massen aus Snobismus die kalte Schulter zeigen. Ja, man könnte sogar glauben, dass Berlin als Karnevalsmuffel diese große sinnliche und grenzensprengende Explosion flieht – gäbe es da nicht mitten in der Stadt eine Institution, in der der Karneval verrückter, bunter, frivoler und sogar noch schöner ist als an den Ufern des Rheins. Nein, ich meine nicht die Ständige Vertretung, das etwas künstliche Floß für die Bonner Schiffbrüchigen. Man muss bis ins tiefste Schöneberg fahren, um die fünfte Jahreszeit von Berlin zu erleben – bei Deko-Behrendt, Dekorationsartikel für alle Branchen, auf der Hauptstraße. Gestresst und mit zwei übererregten Kindern im Schlepptau muss man am Rosenmontag dorthin gehen, um ein tiefes Delirium zu spüren. Sobald man die Tür aufgestoßen hat, genügt es, sich in einen engen dunklen Schlauch zu drängen; er ist von Federboas, Pailletten und Kunsthaarperücken bevölkert, deren bloßer Anblick Hautausschlag hervorruft. Bewaffnet mit einem kleinen Plastikkorb kommt man in dem dichten Gedränge kaum voran. Welch verfehlte Schicksale, welch verborgene Träume tun sich auf, hier zwischen Plastiksäbeln und üppigen Pobacken aus Pappmaché! Vergessen ist die Langeweile des Büroalltags! Zu Boden gestreckt der tyrannische Chef! Bezwungen der gefürchtete Lehrer! Bei Deko-Behrendt wimmelt es von stolzen Polizisten, kühnen Piraten, anmutigen Prinzessinnen und bedrohlichen Monstern. Zu beklagen sind nur die Mütter von kleinen Jungen, die an die Reinkarnation glauben. Panther, Leopard, Gorilla ... ganze Nächte habe ich mit Nähen zugebracht, grün vor Neid auf die Mütter schlichter kleiner Cowboys.

Niemals verlässt man Deko-Behrendt ohne einen Scherzartikel: ein Hundehaufen aus Plastik, ein blutverschmierter Finger, eine schwarze Samtspinne, ein Pupskissen ... Die Phantasie kennt keine Grenzen, der Kitsch ist unbeschreiblich, die Freude der Kleinen ansteckend. Der Karneval, so wird mir erklärt, ist ein Intermezzo, in dem alles erlaubt ist. Es fällt mir schwer, eine Übertretung zu erkennen, wenn jemand bei Rot über die Ampel geht oder schwarzfährt. Und meinen Apotheker auf den Mund zu küssen oder meinem Nachbarn die Krawatte abzuschneiden kommt für mich eher einem Albtraum gleich als einem erotischen Verlangen oder einer endlich gestillten Kastrationsphantasie. Auf jeden Fall aber lindert ein Ausflug zu Deko-Behrendt ein ganzes Jahr lang alle Frustrationen, alle Minderwertigkeitskomplexe, alle latenten Konflikte. Übrigens habe ich mich gerade für fünf Tage in einen stolzen gallischen Gockel verwandelt! Und das hat mir sooo gutgetan!

ASCHENPUTTEL AUF DER ERBSE

Der Test ist simpel, aber unfehlbar: Um die Echtheit einer Prinzessin zu verifizieren, verstecke man unter zwanzig Matratzen und Daunendecken eine kleine Erbse. Tut die junge Dame die ganze Nacht kein Auge zu und erhebt sich am nächsten Morgen völlig gerädert aus den Federn, ist der Test positiv.

Jeden Winter bevölkern Millionen echter Prinzessinnen die Straßen dieser Stadt, und ihre Fußsohlen sind genau so lila wie die delikate Haut ihrer Kollegin aus dem Märchen. Schuld daran ist der Splitt, den der städtische Streudienst großzügig auf die Bürgersteige kippt. Keine Schicht Einlegesohlen, keine Polsterung, kein Extrapaar Socken kann die Messerstiche dieser Milliarden kleiner Kiesel dämpfen, die sich im Winter unter den Berliner Schuhsohlen sammeln. An jeder Straßenecke wird man Zeuge burlesker Szenen: Ein Versicherungsvertreter in Anzug und Krawatte etwa mühte sich gestern vor meinem Haus, das Gleichgewicht zu halten, während er mit einem Fuß auf der Erde und dem anderen in der Luft einen Laternenpfahl umklammerte. Der gepeinigte Held versuchte, mit den Fingernägeln den Splitt aus der Sohle seines linken Schuhs zu kratzen. Eine wahre Juweliersarbeit, für die man eigentlich professionelle Werkzeuge bräuchte: Schabemesser oder Pinzetten. Denn es ist tausendmal schwieriger, diese biestigen kleinen Wintersteinchen loszuwerden, als im Frühling die Überreste von weichem Hundekot aus den Schuhsohlen zu kratzen.

Die Berliner haben ein Talent dafür, widrigen Situationen mit pragmatischen Lösungen zu begegnen. Um öffentliche

Balanceakte zu vermeiden und ihre Büroschuhe vor unschönen Rändern zu schützen, legen sie jedes Stilempfinden ab und kramen aus ihren Wandschränken monströse Armeeschuhe hervor, lächerliche Stiefeletten, Wanderschuhe aus abgewetztem Leder, Galoschen aus vergangenen Jahrhunderten. Ich bewundere die Radikalität dieser Maßnahme. Denn es braucht Mut, um bei Tageslicht mit solchen Schrecklichkeiten auf die Straße zu gehen. Wenige Hauptstädte der Welt haben einen so entspannten Stilkodex wie Berlin. In vielen Büros dieser Stadt werden den ganzen Winter über in diskreten Ecken kleine Armeen von Straßenschuhen und Stricksocken auf Scheuertüchern aufgereiht. Es ist wie bei den amerikanischen Sekretärinnen, die im Sommer auf der Straße Turnschuhe tragen und ihre Nylonstrümpfe und Pumps in der Handtasche verstauen. Die Berliner Sekretärinnen betreten im Winter ihre Büros in Kombinationen aus Business-Kostümen und klobigen Marschierstiefeln. Dann aber ziehen diese Aschenputtel ihre Pumps aus dem Rucksack, wachsen um zehn Zentimeter und verwandeln sich in exquisite Kreaturen. Je länger ich das beobachte, desto öfter komme ich selbst auf komische Gedanken. Neulich fiel mir eine revolutionäre Lösung ein, wie man es im Winter vermeiden könnte, auf Eis und Splitt auszurutschen und sich den Knöchel zu verstauchen: einfach ein Paar alte Wollsocken über die Schuhe ziehen! Ein Kniff, der – Gott sei Dank – selbst den Geschmackssinn der Berliner beleidigen würde.

Krick, krack, krick ... Im Winter bekommt Berlin einen anderen Klang. Unter tastenden Füßen knirscht der Splitt. Mit seinen Schwarz-Weiß-Reliefs ähnelt Berlin dann einem urbanen Stromboli, mit schwärzlichen Schlackeablagerungen und Milliarden verstreuter Splitter. Der Crêpe-Händler am Winterfeldplatz klagte neulich über Umsatzeinbrüche. Weil die Leute lieber zu Hause bleiben, anstatt auf den Straßen ihre Schuhe zu ruinieren.

Heute Nacht wird dann auch die letzte splittfreie Zone Berlins eingewickelt, gereinigt und bis zum nächsten Jahr im Wandschrank verstaut: Zwei Wochen lang wurde der rote Berlinale-Teppich mehrmals täglich gekehrt, gesaugt und gestriegelt. Ein unverzichtbares Requisit der Traumfabrik Kino. Denn Filmstars sind bekanntermaßen die Prinzessinnen von heute – und deren delikate Füßchen auf ihren hohen Pfennigabsätzen ertragen eben nicht das winzigste Elementarteilchen.

ZZZ

Nein, ich kann wirklich nicht verlangen, dass achtzig Millionen Deutsche sich von heute auf morgen in scharfsinnige Romanisten verwandeln. Nein, nicht jeder ist mit Sprachbegabung gesegnet. Kein Zweifel, das Französische ist eine schwierige Sprache mit seinen phonetischen Fallstricken, seiner ausgefuchsten Orthographie, seinen Regeln mit jeweils einem Dutzend Ausnahmen. Es gibt tausend mildernde Umstände. Und dennoch: Ich hab genug! Ein Schrei aus tiefstem Herzensgrund!

Wann immer in den letzten Jahren jemand mit mir über meinen Präsidenten gesprochen hat – und seit einiger Zeit ist sehr oft die Rede von ihm und seiner sehr glamourösen Gattin –, jedes Mal, wenn ich das Radio anstelle oder die Tagesthemen sehe, jedes Mal zucke ich heftig zusammen und drohe mit dem Zeigefinger wie ein fundamentalistischer alter Linguist. Jedes Mal der gleiche Angriff auf meine französischen Ohren. ZZZarkozy hier, ZZZarkozy da.

Eine Phonetikregel, um die Dinge ein für alle Mal klarzustellen und dem armen kleinen Nicolas Gerechtigkeit widerfahren zu lassen: Im Französischen spricht man das «s» am Wortanfang «sss» aus und nicht «zzz». SSSaucisson und nicht ZZZaucisson. Sssalut und nicht ZZZalut. SSSarkozy und nicht ZZZarkozy! Bitte!

Jetzt ist es heraus, und ich fühle mich besser. Ich weiß wohl, dass meine Landsleute den traurigen Ruf haben, keine Sprache außer ihrer eigenen zu beherrschen. Gerade wir Franzosen sollten niemanden belehren. Und außerdem, was ist schon ein harmloser ZZZarkozy nach Jahren von Gérard Schreudère und Tausenden Malen Anjèla Merkèle. Es ist etwas gewagt, wenn ich mich über ein vibrierendes kleines «z» anstelle eines scharfen «s» aufrege. Zumal das Z unserem kleinen Präsidenten das Aussehen eines unbesiegbaren Helden verleiht: Z wie Zorro, Z wie Zarathustra, Z wie Zeus.

Dabei gibt es durchaus Schlimmeres. Ich erinnere mich an einen sehr pariserischen und sehr eigensinnigen Journalisten, der, wenn er beim World Service der BBC in London die Nachrichten las, den damaligen britischen Außenminister jahrelang als Sire Geôfroa Hô bezeichnete. In klanglicher Hinsicht dachte man bei dem armen Sir Geoffrey Howe eher an einen finsteren nordkoreanischen Diktator als an den galanten Ritter der Regierung Margaret Thatchers. Besser gesagt Margarette, wie Yvette oder Suzette. Ein frivoler Wortschluss, bei dem man spontan eher die Folies Bergères assoziierte als die Eiserne Lady.

Die deutsche Politik hat einige haarsträubende Zungenbrecher hervorgebracht. Sabine Leutheusser-Schnarrenberger – ein Klassiker – war jahrelang eine akustische Folter, und ganz Frankreich stieß einen Seufzer der Erleichterung aus, als die Ministerin zurücktrat. Und jetzt schwimmt sie wieder mit auf der Erfolgswelle der FDP und ist in der neuen Regierung strahlend und im Glanz ihres unmöglichen Familiennamens auferstanden.

Welche blinde Verliebtheit mag Fräulein Leutheusser in die Arme von Herrn Schnarrenberger geworfen haben? Hätte es in unser aller Interesse nicht auch ein schlichter Herr Müller getan? Im Übrigen – ob es den Feministinnen nun gefällt oder nicht –, ich finde, dass der Gebrauch von Doppelnamen verboten gehört! Das Jahrbuch des Bundestags ist mit Gabriele Lösenkrug-Möllers oder Christel Riemann-Hanewinkels nur so gespickt. Seit zwanzig Jahren lebe ich nun in Berlin, und nach zwanzig Jahren bin ich immer noch außerstande, den Namen Herta Däubler-Gmelin auszusprechen, ohne dass meine Zunge sich verknotet. «A mouthful» sagen die Engländer ganz richtig. Ein Mund voll Konsonanten, die sich gegenseitig zerschmettern, ein dicker, unverdaulicher Brei aus Diphthongen. Nein, nein, beim Kampf um die zivilrechtliche Gleichstellung haben die Frauen darauf verzichtet, die natürliche Grazie und Eleganz ihres Geschlechts zur Geltung zu bringen.

Letzte Nacht hatte ich einen richtigen Albtraum: Nicolas ZZZarkozy ließ sich von Carla Bruni scheiden. Bei einem deutsch-französischen Gipfel hatte er sich in Sabine Leutheusser-Schnarrenberger verknallt.

EINSTEINS COUSINS

Hier wohnte in dem früheren zerstörten Hause von 1918 bis 1933 Albert Einstein, Physiker und Nobelpreisträger» ist auf dem Granitblock zu lesen, der vor einem Neubau in der Schöneberger Haberlandstraße steht. Wie oft bin ich schon vorbeigegangen, ohne diese Huldigung zu bemerken. Bis der Zufall meine Blicke eines Tages endlich über dieses kleine und in seiner Nüchternheit anrührende Denkmal stolpern ließ. Kein Marmor für Albert Einstein. Nicht einmal Gusseisen oder Keramik, stattdessen gewöhnlicher Granit, dem der Graupelschnee des Berliner Winters nichts anhaben kann. Es ist wirklich nicht leicht, an diesem seelenlosen Ort den Hauch des Genies wahrzunehmen. Hier erinnert nichts mehr an das Berlin Albert Einsteins. Weder die Balkonverkleidungen aus Wellblech noch der Zaun um den kümmerlichen Garten, der das geschichtslose Gebäude einfasst. Auf diese Straßenecke fiel eine Bombe. Mit einem Schlag löschte sie die urbanen Erinnerungen an die Zwischenkriegszeit aus.

Wenn man in Berlin lebt, gewöhnt man sich an die Hässlichkeit, an die Löcher, an die von gehetzten Städteplanern errichteten Straßenzüge. Man gewöhnt sich an all diese Risse im Gewebe der Stadt. Man weiß, dass die Gedenktafeln nur vergebliche Versuche sind, die Vergangenheit an die Gegenwart zu heften. Berlin ist eine zerrissene Stadt. Es fällt ihm schwer, sich an seine Geschichte zu erinnern. Ganz anders Paris, diese unversehrte Schönheit. Man muss mit dem Taxi in Paris ankommen, die Quais der Seine entlangstreifen und zusehen, wie die Jahrhunderte rasend schnell vor den Fenstern vorbeiziehen, eine makellose Szenerie, die die Moderne fast nicht verschrammen konnte. Mühelos kann man sich das Leben der großen Männer vorstellen, das durch die Gedenksteine wachgerufen wird: Man sieht Proust vor sich, wie er das Haus verlässt, man erkennt Chateaubriand, der die Tür zum Gebäude am Boulevard Saint Michel aufstößt, wo er gelebt hat, und in Montmartre spürt man Toulouse-Lautrec an jeder Straßenecke. Abgesehen vom Verkehr, den Schaufenstern und dem natürlichen Verfall durch die Zeit hat die Umgebung sich kaum geändert. Die Zeit vergeht, doch Paris hat ein gutes Gedächtnis.

Welch merkwürdige Manie ist es doch, auf den Hauswänden die Namen berühmter Mieter festzuhalten, die hier gewohnt haben. Dieser Fetischismus ist um so absurder, als die berühmten Männer sich manchmal nur wenige Wochen in dem verehrungswürdigen Gemäuer aufgehalten haben. Billy Wilder lebte als Untermieter von 1927 bis 1928, ein knappes Jahr, am Viktoria-Luise-Platz 11, in einem winzigen Zimmer im dritten Stock. Das Haus wurde ausradiert. Zwischen dem Kosmetikstudio im Erdgeschoss und der Apotheke an der Ecke tut sich das neue Gebäude schwer, die Träume von Beverly Hills zu spiegeln. Vergangenheit und Gegenwart stoßen sich aneinander. Marilyn Monroe und Fußpflege. Shirley MacLaine und Werbung für Inkontinenzbehandlung im Schaufenster der Apotheke. Und ganz gewiss sind die Tüllgardinen in den Fenstern von heute weit entfernt vom Sunset Boulevard. Aber Billy Wilder hat unter diesem Dach geschlafen, gegessen und, so steht zu hoffen, einige Drehbücher geschrieben.

Warum ehrt uns die enge Berührung mit großen Männern so sehr? Warum schmeichelt uns, den Mietern von heute, die schemenhafte Anwesenheit unserer Vorgänger? Werden wir klüger, wenn wir unter demselben Dach leben wie einst ein Nobelpreisträger? Unser Haus wird durch diese frühere Nachbarschaft geadelt. Und schon klettert es in der Hierarchie der Häuser in unserer Straße nach oben, trotz der abblätternden Fassaden und der Reihe stinkender Mülleimer im Hinterhof. Wir dürfen auf unsere Adresse stolz sein. Die Füße eines berühmten Mannes haben genau diese Stufen berührt, die wir jeden Tag benutzen, seine Hand hat sich am Treppengeländer festgehalten. Und abends im Bett können wir uns Einstein vorstellen, wie er im Stockwerk über uns seine Zauberformeln erfindet. Ja, darauf sind wir stolz! Wir fühlen eine geheime Verbindung mit ihm, eine Seelenverwandtschaft. Na, da schmückt man sich eben ein wenig mit fremden Federn. Einstein und wir, das ist, als wären wir Cousins.

VERSCHWÖRUNG AM KALTEN BÜFETT

Können jetzt auch Männer schwanger werden? Ja! Diese Woche habe ich den Beweis gesehen. Mit eigenen Augen. Ausgestreckt auf einem Liegestuhl am Schwimmbeckenrand im Stadtbad Schöneberg, staune ich an einem grau verregneten Tag über dieses große Wunder der Medizin. Sehen Sie sich doch mal diesen monumentalen Bauch an, kugelrund wie eine Wassermelone. Ist Monsieur im siebten Monat? Unglaublich! Und dieser kleine glatte Ballon? Schüchterner Beginn einer Schwangerschaft? Wie süß! Diese schlaffen Fleischlappen, die über das Gummiband der Badehose quellen? Kurz nach der Entbindung, höchste Zeit für die Rückbildungsgymnastik im Wasser. Und der mit den schmalen weißen Streifen zwischen Bauchnabel und Schamhaar? Zu spät. Er hätte sich von seiner Frau beraten lassen und neun Monate lang eine Creme gegen Schwangerschaftsstreifen auftragen müssen! Leicht entsetzt rolle ich mich auf meinem Liegestuhl zusammen. Erinnern Sie sich an den Film von Jacques Demy, in dem Marcello Mastroianni schwanger wurde? Sogar mit Latzhose und gewölbtem Bauch blieb der schöne Marcello noch ein unwiderstehlicher Verführer. Sosehr ich mich auch bemühe, unter diesen Herren von Schöneberg kann ich keinen Berliner Lover entdecken. Auf der Liege neben mir schneidet meine Nachbarin eine komplizenhafte Grimasse. Sie stillt gerade ihr Baby.

Ein paar Tage später bei einem Empfang. Eine kleine Gruppe klumpt sich um das Büfett. Fünf Geschäftsmänner. Man könnte meinen, sie wollten sich verstecken. Leise unterhalten sie sich. Ein Komplott? Eine Verschwörung? *«Montignac»*, flüstert ein großer Kerl, lang und dünn wie ein Reiher. Mit dem Finger deutet er auf seinen Gürtel. *Montignac* ... ein Name wie aus einem Roman von Alexandre Dumas. Der hagere Reiher ist von einem kühnen Musketier allerdings weit entfernt. Im Übrigen spricht er von Michel Montignac, Ernährungswissenschaftler und Guru gestresster Manager, die von einem Geschäftsessen zum nächsten hetzen und versuchen, ihren Bauch loszuwerden. *Montignac* ist wesentlich cocktailfähiger als Grapefruit-Diät, rohes Fleisch, drei Ananasscheiben am Tag oder das schlichte «Friss die Hälfte» der klassischen Schlankheitskuren.

Früher, wenn die Geschäftsmänner zusammenkamen, gaben sie mit ihren weiblichen Eroberungen an oder mit ihrem Golf-Handicap. Sie lauschten den Börsenkursen oder den Zylindern ihrer Sportwagen. Sie stapelten die Petits Fours auf ihren Tellern zu kleinen Pyramiden und kippten ein Glas Rotwein nach dem anderen. Diese vulgären Orgien gibt es nicht mehr. Mit einem Glas Wasser in der Hand predigt man am Büfett die Askese. Stolz ist man jetzt auf die Löcher im Gürtel, auf das zu weite Hemd, das im Wind flattert wie eine Fahne am Festtag.

Mehr als die Hälfte der Deutschen ist zu dick, geht aus einer Studie hervor. Der dicke Deutsche ... Er gehört ebenso zum Arsenal der europäischen Karikaturen wie der zungenfertige Italiener, der diebische Pole, der verklemmte Engländer und der charmante Franzose. Der Deutsche, sein Bauch, sein Bierhumpen, seine Brezel, seine Bockwurst. Schluss mit den Zeiten, als der Dicke noch den harmlosen netten Bonvivant verkörperte. Denken Sie nur an Hitchcock, Churchill, Ludwig Erhard oder einfach an den Weihnachtsmann. Der Dicke erweckte Vertrauen. Er konnte weder bösartig noch hinterhältig, noch verderbt sein. Seine Körperfülle deutete auf gesellschaftlichen Erfolg, sie zeigte, dass er das Leben herzhaft genoss. Nehmen Sie zum Beispiel Helmut Kohl, den dicken Deutschen par excellence, schwanger mit Sechslingen und von den Franzosen verehrt. Wäre der Taillenumfang des Kanzlers heute noch ein Trumpf? Wie der Raucher erweckt auch der Dicke Verdacht: Er ist nicht leistungsfähig, faul, er beherrscht seine niederen Instinkte nicht, er ruiniert seine Gesundheit und die Kassen der Krankenversicherungen. Und dann verhält sich die Menge der Kilos auf der Waage auch noch umgekehrt proportional zum Bildungsniveau. Aus diesem Grund liegt den Mächtigen von heute so viel daran, dass ihre unschönen Falten auf den Fotos wegretuschiert werden. Sie erinnern sich an das Hüftgold von Nicolas Sarkozy, der beim Rudern fotografiert wurde? Was wohl die Bruni davon hält? Aber ich hatte doch geschworen, nicht mehr über meinen Präsidenten zu schreiben!!! Pardon.

ABER BITTE MIT STREUSELKUCHEN

Sie haben sich fein gemacht für den Arztbesuch, es ist ihr großer Ausgehtag. Die eine trägt ein busfahrerblaues Kostüm, die andere hat die Haare zu einem seidigen weißen Knoten gewunden, der über dem rosigen Rund ihrer Stirn thront. Sie heißen Liselotte oder Erna, Hildegard oder Anna. Krampfadern zieren ihre Waden, ab und zu geben ihre Gebisse ein trockenes Klackern von sich. Erna hört nicht mehr so gut, Liselotte stützt sich beim Laufen auf einen Stock. Ihre Körper mögen verlebt sein, aber ihr Geist ist rege, und ihr Gespräch springt munter von Anekdote zu Anekdote: Krankheiten, Eierlikör, günstige Miete, Schlagsahne, Herzschrittmacher, Bohnenkaffee, Kukident und Streuselkuchen.

«Der Streuselkuchen!», sagt Erna. Ihre Stimme ist durchdringend und krächzend, sie verdrängt die Stille des Wartesaals, wo ein Dutzend Menschen darauf wartet, dass der Lautsprecher ihre Namen aufruft. «Der Streuselkuchen schmeckt am besten bei Café Meyer», krächzt Erna, «aber bei Krüger isser jünstiger.» Liselotte nickt, warnt aber vor den Gefahren des Gebäcks: «Mein Mann hat'n hohen Preis jezahlt für den Streuselkuchen. Der hatte Zucker und Cholesterin ooch noch. Den Streuselkuchen hat er trotzdem jeliebt, jeden Tag ein Stück. Det hat er mit dem Leben jezahlt, plötzlich war er weg. Der Doktor hat jesagt: Det war der Streuselkuchen.» Es folgt ein markerschütternder Lachanfall.

Ich betrachte die beiden. Mehr als achtzig lange Jahre. Geboren zu Beginn des vergangenen Jahrhunderts. Sie haben den Krieg überlebt und ihre Stadt in Ruinen gesehen. Sie haben ihre Kinder großgezogen, ihre Männer verloren. Ihre Freundinnen sind eine nach der anderen gestorben. Sie sind allein, sie sind die letzten Überlebenden einer vergangenen Welt. Der Lautsprecher knistert. «Nummer drei.» Erna steht auf, um zur Blutprobe zu gehen. «Wennde übers Leben nich mehr lachen kannst», wirft sie den Wartenden über die Schulter zu, «denn kannste dir ooch gleich an der nächsten Laterne uffhängen.»

Gibt es etwas, das Berlin besser beschreibt als seine alten Frauen? Ihr derber Witz ist ein Hohnlachen über alle Katastrophen ihres Lebens, eine Wiedergutmachung für alle Blessuren, die den geschundenen Körper ihrer Stadt zeichnen. Die alten Berlinerinnen mögen nicht die fragile Grazie der greisen Pariserinnen haben, die mit ihren Handschuhen, ihren koketten Hütchen und einem Hauch von Guerlain-Parfüm durch die besseren Viertel flanieren. Sie ähneln auch nicht den alten Witwen von Athen mit ihren schwarzen Wolljäckchen, die aussehen, als hätten sie ihr ganzes Leben lang Trauer getragen. Erna und Liselotte sind aus Steglitz, ihnen fehlt die vermögende Eleganz der Wilmersdorfer Witwen: Sie tragen keine Pelzkragen, sie haben weder Altbauwohnung noch Biedermeiersofa, sie haben keinen Dackel und gehen auch nicht ins KaDeWe. Stattdessen leben sie mit der Steglitzer Grundversorgung: Kittelschürze, Schrebergarten, Sparkasse, Aldi und ein gelber Kanarienvogel, der in seinem Käfig über dem Küchenbecken vor sich hin trällert. Erna und Liselotte sind Trümmerfrauen, sie haben als junge Frauen den Schutt ihrer Stadt umgewälzt, sie sind burschikose Hausfrauen, denen man nichts vormachen kann. Sie brauchen weder Botox noch Anti-Age-Vitamin-Cocktails, auf ihren verwitterten Wangen glänzt nicht mal eine Spur von Rouge. Sie tragen ihr Alter wie eine Trophäe, und sie besitzen eine Kraft, die nachfolgende

Generationen gar nicht mehr kennen. Misshandelt vom Leben und der verworrenen Geschichte ihrer Stadt, haben sie die Weisheit der Demut entdeckt, jene dreiste Leichtigkeit, die sich wohl nur im Widerstand gegen Not herausbildet. Und verbal kann ihnen eh keine grüne Pflanze dieser Stadt das Wasser reichen.

Am Rande dieser jungen, hippen, schnellen Hauptstadt schleichen die alten Berlinerinnen mit gebeugten Rücken über die Bürgersteige. Mit kleinen, wackligen Schritten mühen sie sich voran. Sie sind fast durchsichtig. Im Kielwasser ihrer Schritte verlangsamt sich die Stadt, bleibt die Zeit stehen. Von Jahr zu Jahr werden sie weniger. Und ein Stück von Berlin wird mit Erna und Liselotte sterben.

BEISSENDE LAVA IN DER ECKKNEIPE

Der Dritte Ort, so erfuhren wir von den Soziologen Ende der achtziger Jahre, als unsere Leben zu rotieren begannen wie eine Waschmaschinentrommel im Schleudergang, dieser Dritte Ort ist eine Druckausgleichskammer, die wir durchqueren, wenn wir uns vom Ersten Ort, dem Arbeitsplatz, zum Zweiten Ort, dem Zuhause, begeben. Ein neutraler Raum zwischen öffentlicher und privater Existenz, zwischen Außenwelt und Innenwelt.

In Berlin gibt es Hunderte dieser Orte, in die man sich vor dem Getriebe und Gerenne der Großstadt flüchten kann. Sie haben ihren eigenen Rhythmus, ihre Stammgäste und ihre ganz besonderen Riten. Sie nennen sich Sparstrumpf, Loretta, Deutsche Einheit, Zum Franz oder Germania. Das sind nicht die angesagten Bars mit ihrer minimalistischen Einrichtung, wo man Tiefsinn und existenzialistische Zerrissenheit zur Schau stellt, während man die Nase in einen Latte macchiato taucht. Doch handelt es sich auch keineswegs um die prätentiösen «Lounges», in denen die neue Berliner Schickimicki-Szene sich zur Happy Hour auf Bänken mit künstlichem Leopardenfell niederlässt, um komplizierte Cocktails zu sich zu nehmen. Ebenso wenig sind es diese hygienebewussten neuen Dritten Orte, die in den letzten Jahren in jedem Kiez aus der Erde geschossen sind: die Fitnessstudios, in denen man sich zwischen 17 und 19 Uhr kollektiven Schweißausbrüchen hingibt und am vitaminisierten grünen Tee nippt.

Die Eckkneipe ist eine Enklave der Freiheit. Hier darf man ohne jedes Schuldgefühl mindestens einmal am Tag ganz man selbst sein. Hier wird man nicht schräg angesehen, wenn man stundenlang ein Loch in die Luft starrt, mit den großen feuchten Augen einer wiederkäuenden Kuh. Auf den Hockern der Berliner Stuben praktizieren Scharen von Korn- und Pils-Trinkern sehr effektiv Autogenes Training, ohne es zu wissen.

«Übernächtigt, aber harmlos!», flüsterte mir vorigen Sonntag die mütterliche Wirtin Gabi zu, als unerwartet eine lärmende Truppe in die morgendliche Lethargie von Gabis Pilsstübchen einfiel. Drei junge Männer, die mit ihren tätowierten Backen an ein von wildem Wein beranktes altes Haus erinnerten, machten sich daran, mich mit Rauchwolken einzunebeln. In Italien steht die kleine Meute von Rauchern auf der eisigen Straße, verstoßenen Pestkranken gleich, in Berlin dagegen genießen sie unter dem wohlwollenden Blick des Staates ihre Nikotindosis gemütlich im Warmen.

Völlig sinnlos, bei Gabi das Loblied exotischer Getränke anzustimmen, als da wären Macchiato, Espresso, Cappuccino, Café au Lait, Mokka, Mélange … Hier wird keiner verächtlich gemustert, der den Unterschied zwischen einem italienischen Stretto und einem spanischen Lungo nicht kennt. Bis heute widersteht die Berliner Eckkneipe allen äußeren Einflüssen. Hier hat man nicht die Qual der Wahl: Es gibt den Pott Einheitskaffee, und an manchen Tagen meint Gabi es gut und legt auf die Untertasse liebevoll einen Zimtstern, der in seiner Konsistenz an einen Granitbrocken erinnert. Beißende Lava fließt die Speiseröhre hinunter und verbrennt sie, als wäre in den Eingeweiden plötzlich ein Vulkan ausgebrochen. Glücklicherweise steht oben auf dem Regal ein Fläschchen Magenbitter bereit: «Underberg wirkt nach jedem Essen», verspricht das Etikett. Demütig muss ich zugeben, dass mir bisher der Mut gefehlt hat, hausgemachte Rühreier zu bestellen (ein schlaffer grauer Berg, der einen Elefanten sättigen könnte), um zu beweisen, dass es sich dabei nicht nur um eine Werbelüge handelt.

Die mit Reißzwecken an der Wand befestigten Ansichtskarten aus aller Welt erinnern allerdings daran, dass es noch ein Leben außerhalb dieser kuscheligen Gebärmutter gibt. Stammgäste schreiben von ihrem Heimweh. Überraschend hat es sie in eine Taverne auf Mykonos verschlagen, und nun fühlen sie sich ohne ihren Alten Fritz verloren und wie amputiert. «Der Besuch im Café», so befinden die Soziologen, «ist eine Weise, wie die Bürger sich zu ihrer Stadt in Beziehung setzen.» Mit anderen Worten: Der Berliner verliert seine Identität, wenn man ihn von seiner Kneipe trennt. Nach der Rückkehr von der Reise wird als Erstes die Eckkneipe aufgesucht, um sich wieder im wahren Leben zu verankern. Nichts hat sich verändert: Der Geruch nach kaltem Tabak mischt sich mit dem des Toilettenreinigers, und von seiner Schaukel über der Kasse sieht der Harlekin aus Porzellan die Gäste mit demselben traurigen Blick an wie immer. Der Deckenventilator, der Plastikefeu am Fenster, die elektronische Dartscheibe, die Batterie der Zapfgeräte, der holzvertäfelte Tresen, die Lichterketten – alles ist noch da. Schnell wird ein Märchenschloss aus Bierdeckeln gebaut und dazu all dem Klatsch vom Kiez gelauscht, der sich während unserer Abwesenheit angesammelt hat wie die Post im Briefkasten. Ja, an diesem ersten Morgen ist sogar der Pott Kaffee ein Geschenk des Himmels. Ich bin endlich daheim. Die Welt ist wieder in Ordnung. Zum Teufel mit den Tavernen von Mykonos!

HÖHENANGST AUF DEM MONT KLAMOTT

Rom hat seine sieben Hügel, Rio seinen Zuckerhut. San Francisco sieht aus wie eine riesige Achterbahn, in München kriechen die Alpen bis in die Stadt hinein. Und La Paz, die höchstgelegene Hauptstadt der Welt, übertrumpft mit satten 3400 Metern sämtliche Mitbewerber. Armes kleines Berlin! Jedes Jahr, wenn es große Flocken schneit, beginnt die gleiche unmögliche Mission: mit dem Schlitten im Schlepptau einen anständigen Hügel aufzutreiben. Kein leichtes Unterfangen, Wintersport zu treiben in einer Stadt, die flach ist wie ein Crêpe. Denn was man sich in Berlin einen «Berg» zu nennen traut, ist meist nichts als eine lächerliche Warze, eine absurde Beule, eine Narbe im Asphalt, die mit bloßem Auge kaum wahrzunehmen ist. Das Maßband in meinem Nähkästchen würde reichen, um die Gipfel der deutschen Hauptstadt zu vermessen! Nehmen Sie den Kreuzberg, die höchste natürliche Erhebung Berlins: gerade mal 66 Meter! Ein Witz, auf den die eitlen Kiezbewohner auch noch stolz sind. «Jedem sein Berg!», predigte mir gestern eine Kreuzbergerin – als lebte sie zu Füßen des Mount Everest. Ich hatte ihr gerade meinen Plan anvertraut, auf der Suche nach einer Schlittenpiste unserem guten alten Volkspark untreu zu werden und den Nachmittag stattdessen auf den anspruchsvolleren Loipen des Viktoriaparks zu verbringen.

Berlin erfindet sich die Berge, die es nicht hat. Die Stadt verschleiert ihr monotones Relief, sie plustert ihre Plattheiten auf – genau wie die Berliner Backfische, die ihre BHs ausstopfen, um ihre bescheidenen Rundungen voller wirken zu lassen. «Berlin, der Schutthaufen bei Potsdam», mokierte sich Brecht. Der Teufelsberg? Ein vulgärer Hochstapler: 115 Meter purer Betrug. Man muss sich nur ansehen, wie er sich hinterm Grunewald räkelt, als sei er ein grandioses Matterhorn. Der Mont Klamott? Eine Attrappe! Die auch noch die Unverschämtheit besitzt, sich als «Dach Berlins» zu bezeichnen mit ihren beiden Zwerggipfeln von 78 und 48 Metern. Nichts als Müllhalden sind diese arroganten urbanen Zugspitzen, Millionen Kubikmeter von Abfall, die Ruinen einer Stadt aus der Vorkriegszeit. Die «Berge» von Berlin? Potemkin'sche Dörfer, errichtet von Trümmerfrauen. Sie waren es, die mit ihren verhärmten Händen Krater und Schluchten formten, Kuhlen und Kuppen modellierten und mitten im Märkischen Sand ein alpines Miniaturrelief erschufen.

«Und als wir oben standen, die Stadt lag fern und tief / Da hatten wir vom Halse den ganzen deutschen Mief / Ich legte meine Hände auf ihren warmen Bauch / Und sagte: ‹Süße Dicke, fühlst du den Frühling auch?›» Wolf Biermann hat das gesungen, als Liebeserklärung an den Mont Klamott. Es stimmt, die Berliner Höhen verströmen ein schweres Parfum der Freiheit. Der Wind bläst stark, die Stadt liegt fern dort unten im Tal, eingehüllt in einen grauen Schleier. In welcher Hauptstadt der Welt kann man an Winternachmittagen mit dem Schlitten auf einer Stadt dahingleiten, die überwuchert ist von Bäumen und Gräsern? Auf urbanen Friedhöfen, auf ganzen Vierteln, die von Bomben in Stücke geschreddert wurden? In einem Jahrhundert wird dieses versunkene Atlantis Archäologen beglücken. Manchmal stolpert man noch über einen behauenen Sims oder einen halben Backstein, manchmal steigt unter dem Laub eine Kachel an die Oberfläche. Unter den Bergen Berlins verbirgt sich eine andere Welt. Eine, von der die alten Berliner mit Nostalgie sprechen.

Je höher sie steigen, desto hitziger streiten die Lokalpatrioten. Wer ist höher, der Kreuzberg oder der Volkspark? Und überhaupt, ist das wichtig, diese paar Meter über dem Meeresgrund? Ich bleibe unserem Kiez treu: Der Volkspark ist der Mont Blanc von Schöneberg. Unser Zauberberg. Zugegeben, nach ein paar Stunden ähnelt die Schlittenpiste einem Waschbrett: Die Schneebahnen sind glitschig wie eingeseiftes Holz, hier und dort stechen gefrorene Grasbüschel durchs Eis. Aber nichts ersetzt den beißenden Geschmack eines Cappuccino bei Toni neben dem RIAS. Und nirgendwo sonst versammelt sich der gesamte Kiez, nirgendwo sonst sieht man diese besondere Art der Wangenröte, die von Kälte rührt und von Glühwein. Jedem sein Berg.

EINE DESPOTIN – ABER LEICHT ZU ENTKLEIDEN

Vergessen das Nachtblau der letzten Heidelbeeren, die zarte Wölbung kleiner, praller Birnen und die Samthaut der Pfirsiche – die Mandarine ist die despotische Herrscherin des Berliner Winters. Ein wenig rassistisch veranlagt, verachtet sie die Mangos und Papayas als zu exotisch und sieht mit überheblichem Snobismus auf die vulgäre Plebs der Äpfel herab.

Sie ist überall. Kein Elternabend, keine Vorstandssitzung, kein Adventstee, bei dem die obligatorische orangefarbene Pyramide nicht zwischen den Diskutierenden thronte. Keine Schulbrotdose, keine Busfahrt (ach, jene unvergesslichen Momente, wenn sich im Schulbus der Zuckerduft von Mandarinen mit dem beißenden Geruch von Erbrochenem vermengt!), kein Nikolaussack ohne Mandarinen. Selbst die Abgeordneten im Bundestag essen Mandarinen, um die orange Opposition in der Ukraine zu unterstützen.

Meine Großtante, eine sehr fromme und bescheidene alte Jungfer, parfümierte sich ihr Leben lang mit Mandarinenduft. Ein Tupfer hinter jedes Ohrläppchen. In dem Irrglauben, dass eine Dame Besseres verdient, schenkte ihr ihre Familie eines Weihnachtstages einen Flakon Guerlain. Doch aus Angst, dass man sie trotz Strickjacke und bäuerlich roter Wangen für eine Femme fatale halten könnte, vergrub Tante Alice das Guerlain-Fläschchen tief in ihrem Kleiderschrank, ohne es jemals anzurühren. Der Sinnlichkeit von Moschus zog sie die simple Frische der Mandarine vor.

Gereon Reymann – so heißt der weltgrößte Experte aus

dem Gebiet der Mandarine – erklärt, dass die Frucht ursprünglich aus China stammt, wo sie bereits vor viertausend Jahren auf den Hängen des Himalaya kultiviert wurde. Im 18. Jahrhundert importierten Seefahrer den Samen des Citrus sinensis nach Europa. Und drei Jahrhunderte später erobert die Mandarine Berlin. Gemeinsam mit ihren nahen Verwandten, der Clementine und der Satsuma, gelingt es ihr, selbst glanzlosen Aldi-Regalen orientalische Atmosphäre einzuhauchen.

Die Mandarine ruft keinerlei wirkliches Verlangen hervor. Sie weiß sich weder rar noch begehrenswert zu machen. Verzehrt wird sie ohne Hunger, rein mechanisch. Als *easy peeler* bezeichnet man sie in der Fachsprache. Wie bei einem leichten Mädchen, das in wenigen Sekunden vollständig entkleidet ist, genügt eine nachlässige Bewegung mit dem Fingernagel, um die Mandarine ihrer rauen Haut zu entledigen. Im Gegensatz zur Kiwi und vor allem zur Banane war die Mandarine noch nie ein Maskottchen der deutschen Wende, denn selbst in der ehemaligen DDR war sie keine verbotene Frucht. Wenn auch nur in Konserven, so fand man sie doch überall: auf Mayonnaise-Crevetten, an Schweinebraten. Eines Tages entdeckte ich sogar sechs Mandarinenstückchen, die auf der glatten weißen Oberfläche eines gebackenen Camemberts einen Seestern formten. Beim Essen hatte ich den äußerst unangenehmen Eindruck, den Zierpanzer eines kleinen, klebrigen Wassertieres mit undefinierbarem Geschmack zu verzehren.

Die Dosenmandarine verleiht jedem Gericht einen Hauch von Noblesse, einen exotischen Touch. Es ist die frivole Abweichung, das Körnchen Wahnsinn im Allerweltsmenü jedes Kantinenkochs. Noch die langweiligste Stulle wird zur kulinarischen Revolution, wenn mitten in der Mettwurst ein Stückchen Mandarine klebt. Man könnte sagen, dass die Mandarine im Osten etwa die gleiche Funktion einnimmt wie der Rucolasalat im Westen. Als man mir neulich in einem Charlottenburger Restaurant ein Rucola-Sorbet anbot, gab ich hastig dem bodenständigeren Mandarinen-Sorbet den Vorzug. Und seit diesem Abend fühle ich mich ein wenig undankbar, wenn ich Bosheiten über jene Frucht schreibe, die mich vor einer furchterregenden kulinarischen Erfahrung bewahrt hat.

DER CHARME DER REVOLUTION

Die Zeiten sind vorbei, als der Pelzmantel – ähnlich wie die Krokohandtasche, das Kaschmir-Twinset und die Perlenkette – noch ein obligatorisches Element jeder eleganten Damengarderobe war. Man muss heute schon nach München oder Wien fahren, in die letzten Hochburgen der Schickimickeria und des stiernackigen Konservatismus, um noch Chinchillas und Nerze die Straßen entlangpromenieren zu sehen. In Berlin ist der Pelzmantel trotz sibirischer Fröste eine vom Aussterben bedrohte Spezies. Er ist so etwas wie die ultimative Grenzüberschreitung, die Inkarnation des Bösen. Man verbindet mit ihm nicht mehr die leicht vulgäre Erotik einer Femme fatale, auch nicht den diskreten Charme der Bourgeoisie – man denkt eher an eine blutlüsterne Horde mordender Psychopathen.

Die einzigen Berliner, die ihn ohne schlechtes Gewissen tragen, sind: 1. Wilmersdorfer Witwen, die im schwarzen Astrachanpelz die Rolltreppen des KaDeWe auf und ab fahren; 2. Transvestiten in schäbigen Charlottenburger Nachtbars; 3. gebleichte Blondinen, die die Terrasse der «Wiener Conditorei» am Roseneck mit dem Après-Ski-Gelände in Gstaad verwechseln; 4. «Matroschkas», die Lebensgefährtinnen neureicher Russen, die zum Gucci-Kostüm Chanel N°5, Louis-Vuitton-Handtasche und Luchsmantel tragen, damit die sorglose Übereinanderschichtung von Markennamen auf ein gutgefülltes Portemonnaie schließen lässt.

Das jedenfalls glaubte ich, bis ich im Januar zur Gedenkfeier des Todestages von Rosa Luxemburg und Karl Liebknecht die Gedenkstätten in Friedrichsfelde besuchte. Eigentlich so etwas wie die pelzmantelfreie Zone schlechthin, sollte man meinen. Deshalb wollte ich meinen Augen kaum trauen, als in der Masse aus grauen Anoraks, Schiebermützen und Strumpfmasken, die schwerfällig um das Ehrenrondell der deutschen Revolution kreisten, plötzlich zwei Kämpferinnen in rostroten, knöchellangen Fuchsmänteln auftauchten. Auf ihren Schultern ruhte ein immenses rotes Banner mit der Aufschrift: «Partito Communista Rifondazione». Den Widerspruch zwischen dem seidigen Luxus des Fuchsfells und dem rissigen Stoff ihres Klassenkampf-Transparents nahmen sie offenbar nicht als solchen wahr. Dabei hatte doch gleich am Friedhofseingang ein Plakat die Besucher zur eindeutigen Lagerwahl aufgefordert: «Sozialismus oder Barbarei!» «Der Kommunismus beginnt im Kopf!», halten die Damen der Cremona-Sektion dagegen, mit hohen, piepsigen Stimmchen. Ihre Ehemänner sehen so aus, wie man sich Latifundienbesitzer aus der Lombardei vorstellt. Sie tragen Tweed-Duffelcoats und Shettland-Pullis, und ihr nobles Profil kontrastiert auffällig mit den grobgeschnittenen Otto-Dix-artigen Zügen der Berliner Arbeiterklasse.

Die Blaskapelle Fritz Weineck spielt «Bandiera Rossa» als Foxtrott-Version. Ein Flugblattverteiler aus Straubenhardt bei Pforzheim verurteilt «die Steuerung der Gesellschaft durch BND und Verfassungsschutz unter besonderer Berücksichtigung technischer und illegaler Aspekte». Zu meiner Verblüffung präsentiert er eine plausible Erklärung für die deutsche Misere: «In Italien zahlen die kleinen Leute längst nicht so viel Steuern wie wir in Deutschland. Der Franzose gibt 25 Prozent seines Einkommens für Lebensmittel aus. 80 Prozent der Spanier haben ein eigenes Haus. Nur wir arbeiten für den Staat!» Das schwarze T-Shirt eines anderen Demonstranten verkündet schlicht: «Ich scheiße drauf, deutsch zu sein!»

Es riecht nach Chinapfanne, Bockwurst und Glühwein. «Es reift der Samen der Revolution mit jeder Stunde!», verspricht das Spruchband auf dem roten Nelkenkranz, den die PDS auf Rosas Grab niedergelegt hat. Mit frivolem Schaudern stelle ich mir vor, was wohl passieren würde, wenn ein wütender Kommunist einen Topf blutroter Plakatfarbe in den Pelz der schönen Revolutionärinnen aus Cremona schmieren würde. Aber nein, dieses Jahr kommen die Füchse glimpflich davon. Es lebe die internationale Solidarität!

HIMMLISCHE RUHE

Jacke, Schal, Uhr ablegen. Gürtel und sogar die Schuhe ausziehen ... Nackt wie ein Wurm findet man sich vor etwa fünfzig Zuschauern auf einem Fetzenteppich wieder. Nein, das ist kein Striptease in der frivolen Intimität eines Berliner Nightclubs, sondern der sehr reale Albtraum der Sicherheitskontrollen unter den Neonröhren des Flughafens Schönefeld. Diese öffentliche Entkleidung ist nur eine von vielen Unannehmlichkeiten bei einer Flugreise. Hinzu kommen die Passkontrolle, der triste Wartesaal, in dem man sofort Depressionen bekommt, die Verspätungen, die überheizte Kabine, der dicke Herr neben einem, der nach den gebratenen Zwiebeln vom Mittagessen riecht und einen wie eine lästige Mücke am Fensterglas zerquetscht. Deshalb habe ich eine weise Entscheidung getroffen: Schluss mit dem Flugzeug, das nächste Mal fahre ich mit dem Zug!

Der Zug, so glaubte ich, muss das Paradies sein: Man setzt sich, völlig bekleidet und nahe bei seinem Koffer, auf seinen Platz, streckt die Beine aus, schließt die Augen und schläft bis zur Ankunft. Freiburg–Berlin bedeutet sechseinhalb Stunden erholsamen Schlaf. Vielleicht öffnet man zwischendurch ein Auge, um die Straßen zu betrachten, die Bäume, die Dörfer, die an den Fenstern vorbeieilen. Träumen, ein paar Seiten in einem dicken Roman lesen, bevor man sich in den Schlaf sinken lässt, ebenso sanft wie der Nebel, der die Landschaft draußen bedeckt. Mit dem Zug fahren heißt Zeit haben. Und die Zeit ist heute ein kostbares Gut.

Der Zug fährt aus dem Bahnhof Freiburg. Ich habe meinen Roman auf das Tischchen gelegt, die Rückenlehne zurückgestellt, einen Kaffee bestellt, den man mir an den Platz bringen wird. Der Zugbegleiter, wie man die Stewards der Schiene nennt, schaut betreten drein. «Espresso macchiato? So weit sind wir noch nicht!» Macht nichts. Ah, welch ein Luxus. Draußen ein Fluss, ein Fischerboot, Winter, Harmonie. Ich schließe die Augen.

Nanu, hat sich eine Mücke in unser Abteil verirrt? Oder knarrt da eine halbgeschlossene Tür? Plötzlich entdecke ich, dass mein Nachbar zwei Stöpsel in den Ohren hat. Er lauscht einer Musik, von der ich nur die schrillen Töne wahrnehme. Und er ist nicht der Einzige. Mindestens zwölf Passagiere sind mit einem lärmerzeugenden Gerät verkabelt: iPod, Handy, Rechner. Das Problem, wenn man sich derart von dem Rest der Welt abgeschnitten hat: Man produziert Geräusche und Gesten, ohne es zu merken. Mein Nachbar schlürft den Kaffee, der andere trommelt mit den Fingerspitzen nervös auf der Armlehne herum, der dritte beschäftigt sich mit seiner Nase und schnippt einen Popel in den Gang.

Zwei Reihen vor mir hat ein junges Paar eine Plastiktüte mit geschälten Apfelstücken zwischen sich gestellt. Sie füttert ihren Schatz. Ein Apfelschnitz, ein Kuss, ein Apfelschnitz, ein Kuss ... Bei der vierten Fuhre möchte ich schreien. Auf der Flucht vor der Vampirliebe in Wagen 23 ergebe ich mich bis Frankfurt dem Schlaf.

10.20 Uhr. Vorbei mit der Herrlichkeit. Zwei Damen suchen panisch ihre reservierten Plätze. Ich hoffe, ich bete, ich halte die Luft an. Wenn Menschen außer Atem und in höchster Aufregung einsteigen, kann das nichts Gutes verheißen. Nein, kein Glück. Die beiden Damen lassen sich direkt hinter mir nieder. Und die Qual nimmt ihren Lauf. Der Zugbegleiter bringt den Damen die Bild-Zeitung und ein Pils. Die Neue von Günther Oettinger ist abgebildet. «Armer Kerl!», sagt eine der Damen mit rauer Stimme. Und sie zieht sich die Schuhe aus, schlüpft in orthopädische Sandalen, legt eine Kaschmirdecke auf die Knie, ganz wie zu Hause, und entfaltet die FAZ. Sogleich wird mir klar, dass die FAZ nur ein Alibi ist. Kaum sind die Banktürme von Frankfurt am Horizont verschwunden, da entspinnt sich auch schon ein intensiver Monolog. Er wird erst enden, wenn der Zug im Hauptbahnhof zum Stehen kommt. Viereinhalb Stunden über das Thema, wie man sich denn nur in Günther Oettinger verlieben kann, wenn man fünfundzwanzig Jahre jünger ist. Wie kann man sich überhaupt in Günther Oettinger verlieben?, würde ich am liebsten hinzufügen. Auf der Strecke Frankfurt–Berlin wird das Rätsel an diesem Tag nicht gelöst werden.

PETIT MARCEL, DU LIEBESTÖTER

Das Unterhemd enthüllt knackige Muskeln, gebräunte Samthaut. Manchmal hängt ein Medaillon oder ein Gepardenzahn an einem Lederband auf der behaarten Brust. Manchmal ist am Schulterrand ein Dschungelquadrat, eine dicht-bunte Tätowierung, eingraviert. So erscheint das Unterhemd in den Modejournalen und in den Szenebars der Motzstraße: viril, unendlich sexy, unwiderstehlich. Plötzlich ist das gute alte Unterhemd auf den Namen *Body* oder *Underwear* getauft worden. Es duftet nach Abenteuer, nach einem Hauch von Erotik. Es ist das Äquivalent zur femininen Reizwäsche.

In den Straßen von Berlin dagegen ist das Unterhemd eine ganz andere Geschichte. Rasch prallt man gegen den harten Beton der Realität. Fort sind die Wünsche vom Abenteuer. Fort sind die erotischen Träumereien. In der schneebedeckten deutschen Hauptstadt hat das Unterhemd nichts Verführerisches, nein, wirklich nicht! Haben Sie schon bemerkt, dass es sich in der derzeitigen Kälte allmählich der Körper der Berliner bemächtigt? Schauen Sie genau hin! Unter durchsichtigen Hemden erkennt man seine Konturen, das Relief des Feinripps, die Zeichnung der Säume und Nähte. Und – o welche Enttäuschung! – man erahnt die traurige Geographie der winterlichen Körper: der schlaffe Bauch, die Muskeln, so lasch wie geplatzte Ballons. Das Unterhemd umhüllt einen kahlen Brustkorb, eine Haut, blass wie Sauermilch. Vom häufigen Waschen ist es oft grau und ausgeleiert. Ein Liebestöter! Vergessen sind sie, die *Bodies* der Motz. Ja, werden Sie sagen, aber die sibirische Kälte, der tückische

Wind, der unter den Pullover dringt und die Haut gefrieren lässt … da kommt es nicht mehr auf Eleganz und Klasse an, sondern man muss in erster Linie praktisch denken und das Unterhemd anziehen, sobald man aus dem Bett springt! Da haben Sie sicher recht …

Im Französischen trägt das Unterhemd einen kessen Namen: Es wird *petit Marcel* genannt. In Frankreich ist Marcel der altmodische Name par excellence. Bei uns war ihm keine Renaissance vergönnt wie in den neuen Bundesländern, wo er wie Yvonne, Jacqueline oder Chantal für französische Exotik und Leichtigkeit steht. Die Franzosen nennen ihre Söhne lieber Enzo, Theotim oder Corentin. Das ist so schick! Marcel dagegen … der Name ist gerade noch gut genug für ein verblasstes Unterhemd. Marcel riecht nach proletarischem Kiez, nach dem Frankreich der dreißiger Jahre, dem Schweiß der Fabriken und dem Glas Rotwein an der Theke der Bar-Tabac. In der Provence spielt Marcel im Schatten hoher Platanen Boule. Marcel fährt einen schweren Lastwagen, eine Gitane zwischen den Lippen. Und ganz gewiss trägt Marcel einen *petit Marcel.*

Übrigens frage ich mich, ob Proust und Pagnol, die Patrizier der französischen Literatur, unter dem Hemd einen gewöhnlichen *petit Marcel* versteckten, Ton in Ton mit ihrem Vornamen. Die Intellektuellen unserer Zeit lassen sich bestimmt nicht zu dieser Art Wäschevulgarität herab. Schon vor langer Zeit haben sie das Unterhemd gegen ein kurzärmeliges T-Shirt eingetauscht. Ein T-Shirt im vorgeschriebenen Schwarz. Das schwarze T-Shirt ist der *petit Marcel* der linken Denker. Schwarz wie das existenzialistische Grübeln, schwarz wie die gedanklichen Windungen, schwarz wie: Ich will auf keinen Fall aussehen wie ein Spießer, aber ich hab keine Lust, im Winter zu frieren.

Auch die Outdoor-Sportler bemühen sich mit aller Kraft, dem wenig schmeichelhaften Ruf des Unterhemds zu entgehen. Man übertrifft den Skisprungrekord nicht im *petit Marcel*! Die Funktionswäsche, sagt das Etikett meines Skiunterhemds, vollbringt dieses Wunder der Physik: Es hält die Wärme. Es transportiert den Schweiß nach außen. Die Luft zirkuliert nur in eine Richtung. Die Kälte wird in eine andere blockiert. Von diesem ganzen Hin und Her wird mir schwindlig. All diese thermoaktiven Fasern, diese hydrophilen Oberflächenstrukturen, diese Kunstfasern auf dem neuesten Stand der Technik ... Wenn doch der Frühling schon da wäre und man sich wieder leicht kleiden könnte!

RUNDBRIEFE

Ein paar Tage vor Weihnachten fühlt man, wie sie näher kommt: diese sanfte Melancholie wie ein Nebeltag am Schlachtensee, diese Augen, die wegen jeder Kleinigkeit feucht werden, dieser gerührte Blick auf das vergangene Jahr. Ja, zum letzten Mal möchte man sich umdrehen und die davonziehenden Tage ansehen. Alles ist so schnell gegangen: die Ferien, der runde Geburtstag, die Taufe des Kleinen ... Gern würde man alles noch ein wenig bewahren und diese Bilder fixieren, die bald nur mehr statische Erinnerungen sein werden, gern würde man das Leben festhalten, das vorbeifließt wie die Seine unter dem Pont Mirabeau.

Liegt darin die heimliche Aufgabe der bizarren Einrichtung, die sich Rundbrief nennt? Ja, es stimmt, der Rundbrief zeigt ein vollständiges Panorama der verlorenen Zeit. Die Geburten, die Sterbefälle, die Hexenschüsse und die Hühneraugen, die im Urlaub erklommenen Gipfel und die ersten Worte der Kinder ... alle Stationen sind da. Und jeder Rundbrief erzählt eine Menge über den Charakter seines Verfassers.

Der Esoteriker. Mir und achtundfünfzig anderen offenbart er die Wohltaten, die ihm Feldenkrais und Gruppentherapie schenken. Er analysiert für uns die mühsame Lösung seines Ödipuskomplexes und vertraut uns die verwickelten Zwiegespräche mit seiner Ehegattin an. Aber möchte ich das alles wissen?

Der Ehrgeizige. Sein Rundbrief ist ein Präsentierteller. Er stellt die Pracht seiner Familie aus: Seine Kinder sind Einserschüler am feinsten humanistischen Gymnasium. Der eine ist ein Mozart am Klavier, der andere ein Boris Becker auf dem Tennisplatz. Die Hypotheken für sein Haus sind getilgt. Davor parkt sein neues Auto. Und seine Frau sieht aus wie Carla Bruni. Wenn ich den strahlenden Rundbrief des Ehrgeizigen wieder weglege, fühle ich mich, als hätte ich mein Leben verpfuscht.

Die Unglückliche. Meine alte englische Freundin hat Pech in der Liebe. Alle Jahre wieder kündet ihr Rundbrief von Verrat, Tränen und Seelenschmerz. Eine Racine'sche Tragödie auf blauem Papier, oben rechts ist ein kleiner Stern aufgeklebt, und unten links steht ein trauriges «Merry Christmas».

Die Hemmungslose. Ich habe den Rundbrief einer Freundin aus Québec aufgehoben, in dem sie detailliert ihre erste Entbindung schilderte: Abstand der Wehen, Öffnung des Muttermundes auf den Millimeter genau, Blasensprung, schokoladenbraune Farbe der Plazenta, die ans Licht der Lampen im Kreißsaal trat. Sarah wog 3,4 Kilo, und die guten Wünsche ihrer Mutter erinnerten an einen gynäkologischen Bericht. Das Problem dabei: Jedes Mal, wenn ich meine Québecerin treffe, muss ich an die Öffnung ihres Muttermundes denken.

Der Eilige. Für ihn ist der Rundbrief wie Fastfood. Wenn seine Mail auf meinem Bildschirm auftaucht, komme ich mir vor wie das letzte Glied in einer Produktionskette für Massenglückwünsche. Ein Weihnachtsgruß der Landesvertretung Rheinland-Pfalz von heute Morgen: «Sehr geehrter Herr Hugues. Wir wünschen Ihnen und Ihrer Familie alles Gute und freuen uns, wenn Sie auch 2008 wieder zu Gast bei uns sein werden.» Dabei bin ich ganz sicher, dass ich mit meinen

Kindern noch nie einen Fuß in die Landesvertretung Rheinland-Pfalz gesetzt habe, und an eine Geschlechtsumwandlung kann ich mich auch nicht erinnern.

Der Kanzelredner. Er leitet ein Unternehmen in Düsseldorf, aber zu Weihnachten hält er sich für einen Pfarrer. Den finde ich am schlimmsten. Jedes Jahr schreibt er mir. Wir sind uns irgendwann zufällig über den Weg gelaufen. Seither lässt er mich nicht mehr los. «Werte brauchen ein Erscheinen ...», schreibt er mir dieses Jahr. Die drei Pünktchen fordern mich auf, über den Sinn meiner oberflächlichen Existenz einmal gründlich nachzudenken. Der Kanzelredner erläutert mir die Bedeutung von Weihnachten: «Weihnachten. In einem stillen Moment werden wir uns unserer Bestimmung als Mensch gewahr.» Fein definiert er den Begriff der Kultur: «Die Kulturen leiden angesichts der Dichte des Geschehens unter Atemnot.» Icke och. Schnell! Ich öffne eine Flasche Crémant d'Alsace. Genussvoll gieße ich ein großes Glas hinunter. Santé! Liebe Grüße nach Düsseldorf! Ah, jetzt geht es schon besser.

Und dann gibt es auch noch – last but not least – die Weihnachtswünsche von Roland Berger Strategy Consultants. «We wish you health, strength, courage and prosperity.» Randvoll mit positive thinking. In English, of course. Und ein Heft von zehn engbedruckten Seiten. Professor Theodor W. Hänsch, Nobelpreisträger für Physik, gibt einige erlesene Gedanken zum Besten: «Creativity as a factor of business» oder auch «Deep in the heart of Silicon Valley». Hilfe! Wo ist meine Flasche Crémant d'Alsace? Deep in meinem Sessel vergraben, genieße ich meine Oberflächlichkeit. Zwei Tage vor Weihnachten geht es doch nur darum, dass man gut isst und sich ein bisschen amüsiert. Oder?

WEIHNACHTSGANS NUMMER DREI

Warum das schmutzige Lächeln? Dieses kleine Lachen, das wie ein Triller ganz tief aus der Kehle steigt? Werde ich zu einer fleischlichen Orgie in einem dunklen Lokal in einem der heißesten Viertel von Berlin gebeten? Soll ich Zeugin einer heidnischen Zeremonie oder eines satanischen Rituals werden? Dabei wirkt die Einladung auf den ersten Blick eher harmlos: «Kommst Du mit zum Weihnachtsgansessen?»

Für die Berliner ist die Weihnachtsgans eine ungetrübte Freude, ein letzter Moment der Leichtigkeit unter Freunden, Kollegen, Vereinskameraden, wenige Tage vor Weihnachten mit seinen familiären Komplikationen. Ein letzter Freiraum vor den Verpflichtungen und Zwängen. Das Problem ist, dass der Dezember sich zu einem einzigen Hindernisrennen auswächst. In den letzten Tagen bin ich atemlos von Gans zu Gans gehetzt. Ich fühle, wie mir Flügel und ein Schnabel wachsen.

Alles hat vorigen Montag angefangen. Meine erste Gans ist im Grunde gar keine. Sie ist gefälscht. Eine Imitation. Ein Kunstwerk. Sie erwartet mich in dünne Scheiben geschnitten und sternförmig auf einem viel zu großen Teller arrangiert. Sie erinnert eher an ein zartes Rebhuhn. Eine Gans *nouvelle cuisine*.

Meine zweite Gans ist ein Snob. Sie ist mit einem Mantel aus Rosmarin und Thymian bekleidet, mit einem in die Bauchhöhle gestopften Stückchen Ingwer und einem kleinen grünen Limettenhut auf dem Kopf. Eine elegante Gans, die viel von der Welt gesehen hat! Ganz sicher betrachtet sie mich voller Herablassung.

Erst die Gans Nummer drei wird meine wirkliche Initiation. Sie thront in der Mitte der Tafel, proper wie ein Neugeborenes, vergoldet, majestätisch. Eine Gänseprinzessin inmitten ihres Hofstaates aus Rotkohl, Grünkohl, Rosenkohl, Preiselbeeren, Speck und Knödeln. Auf der Einladung stand 18.30 Uhr. 18.30 Uhr? Das konnte nur ein Tippfehler sein. 18.30 Uhr, das ist die Teestunde, die Stunde der Petits Fours. Für Gänse eine höchst unpassende Uhrzeit. Beim Apotheker habe ich mich heute Nachmittag über die Einladung zu dieser verfrühten Stunde beklagt. Ein Abendessen vor 20 Uhr ist für Franzosen einfach absurd! Nur in Krankenhäusern und Altersheimen isst man um 18.30 Uhr. «Oh, oh, in Ihrem Land lieben Sie wohl das Risiko!» Der Apotheker warnt mich. «Wenn Sie heute Nacht mit einer Gans im Magen wenigstens ein paar Stunden schlafen wollen, müssen Sie früh anfangen. Sonst garantiere ich für nichts.» Mit den Fingerspitzen streichelt er die ordentlich aufgereihten Alka Seltzer, er schüttelt einen Beutel Verdauungstee und schenkt mir einen mitleidigen Blick. «Eine Pest, diese Weihnachtsgänse!»

Am Abend trägt eine Familie am Nachbartisch einen Ringkampf aus. Zunächst muss man sich schützen: vor der Sauce, vor dem Rotkohl ... die Flecken verwandeln ein weißes Hemd für immer in ein Bild von Jackson Pollock. Die sonntäglich gekleidete Gesellschaft bindet sich also Servietten um den Hals. Man glaubt sich in einen Kindergarten zur Mittagessenszeit versetzt. Als Nächstes muss man die Gans zerlegen, um sie in den Mund zu zwängen. Und das ist nicht gerade einfach. Deshalb sind alle Tricks erlaubt. Meißeln, zersägen, die Flügel zerteilen, dem Tier die Knochen brechen, seinen Brustkorb zerschlagen. Man arbeitet mit Händen und Klauen. Ich beobachte die Familie von Nagetieren nebenan. Monsieur: ein Hamster, die Backen mit Grünkohlbrei vollgestopft. Der

Schwiegersohn-Hund nagt an einem Knochen. Madame, ein Mäuschen, knabbert mit vorstehenden Zähnen wie besessen an einem widerborstigen kleinen Knochen ... und schnäuzt sich in ihre Serviette. «Ich könnte mich reinwerfen!», ruft sie und schiebt den leeren Teller zurück. Und schon stelle ich mir vor, wie sie mit energischen Armstößen in gekochtem Rotkohl schwimmt, ein Gänsebein zwischen die Zähne geklemmt.

An unserem Tisch wird Mousse au Chocolat und Rote Grütze geordert. Und unter dem Tisch wird der Hosengürtel diskret ein Loch weiter gemacht. Der Cholesterinspiegel schießt in die Höhe, genau umgekehrt wie die derzeitigen Börsenkurse. Die Hüften runden sich zusehends. Sollte noch jemand ein wenig Hunger verspüren, so kann er sich auf der Schiefertafel über eine weitere Spezialität informieren: Hausgemachte Eisbeinfleischsülze mit Remoulade und Bratkartoffeln. «Wir sind ein deutsches Haus, Madame», bestätigt mir der Gastwirt, als er eine Runde Verdauungsschnaps serviert. Was für ein Glück, dass er mich darauf aufmerksam macht, es wäre mir glatt entgangen. «Nicht schnacken, Kopp im Nacken», sagt ein Tischgenosse. Ich sehe nur noch Nasen, die in kleinen Gläsern stecken, und das Skelett meiner letzten Gans im Jahr.

ALLE JAHRE WIEDER … LÖST DAS BACKBLECH DIE LEITKULTURFRAGE

Vor einem Monat fing es an. Erst wanderte ein dünner Nebelstreif aus Zimtaroma die Treppenstufen hinauf. Am nächsten Tag strich süßer Vanilleduft die Mauern des Treppenhauses entlang. Dann kam der pikante Geruch von kandierten Orangenschalen. Am vierten Tag waren Mandeln und geraspelte Nüsse an der Reihe, am fünften der opulente Duft von geschmolzener Schokolade, am sechsten tränkte das exquisite Aroma von Karamell die gesamte Straße. Und am siebten Tag hatte meine umsichtige Nachbarin aus der ersten Etage ein ganzes Arsenal von Aluminiumdosen mit Weihnachtsplätzchen gefüllt. Sie hatte ein gutes Gewissen. Und ich geriet in Panik.

Denn bei uns in der dritten Etage regierte noch das Chaos vor der Erschaffung der Welt, herrschte die Tristesse totaler Geruchsneutralität. Seit Wochen träume ich nachts von riesigen Popcorn-Tüten, die den Himmel über Berlin verdunkeln, um das Kommen des neuen King-Kong-Films anzukündigen. Es ist immer der gleiche, monströse Albtraum: Ich muss genug Weihnachtsplätzchen backen, um alle Popcorn-Tüten zu füllen und das hungrige Biest zu füttern, das Berlin am Heiligen Abend überfällt. Plätzchenbacken ist ein Ritual, das in Frankreich nicht existiert und Bände spricht über die deutsche Seele. Den ganzen Dezember hindurch stürzen sich alle Lebenskräfte dieses Landes – das sonst als ausgelaugt, lethargisch, depressiv und frei von Innovationsgeist gilt – auf die intime Wärme der Küchen. Alle Jahre wieder geht ein Zucker-Ruck durch dieses Land. Als würde sich alle unterdrückte Energie der letzten elf Monate plötzlich mit Wucht, fast mit Wut, zwischen Nudelholz und Mehlstaub entladen.

Denn die Bürger dieses Landes beschränken sich keineswegs auf banale Mürbeteigplätzchen: Nein, jeder kreiert seine eigene Kollektion! Die Deutschen werden zu einer Nation von Goldschmieden, von Spitzenklöpplern, von Zimmermännern. Ein ganzes Volk walzt, rollt, ziseliert und formt. Wie pointillistische Maler sprenkeln sie vielfarbige Splitter auf die Schalen von Walnuss-Schnecken, sammeln winzige Vierecke aus Schokolade und Vanille, um ebenso winzige Dominosteine zu konstruieren. Da werden Türme aus Karamell errichtet, Häuschen aus Lebkuchen gebaut, Terrassen aus Plätzchen aufgeschichtet und Symmetrien aus Krokant und Marzipan ausgeklügelt – phantastische Konstruktionen. Rein gar nichts haben die deutschen Weihnachtsplätzchen gemein mit dem schwärzlichen Zement des *christmas pudding*, dem aufgeplusterten *panetone* oder der unter Konditoreicrème erstickenden *bûche de Noël*. Zierlich und raffiniert sind die deutschen Weihnachtsplätzchen. Kleinode, die von entfesselter Phantasie zeugen – und sogar von Humor.

Ich kenne nicht einen Weihnachtsmuffel, der ihnen widerstehen kann. Selbst die Deutschen, die Weihnachtsbäume spießig finden und ihre Familien zum Teufel wünschen, schmelzen vor einem Zimtstern. Kein Zyniker verschmäht Kokoskugeln. Unantastbar sind die Vanillekipferln, von allen respektiert die edlen Pinienzapfen. Noch der kritteligste Bürger greift zu Superlativen, wenn es gilt, die Kreationen der anderen zu bewundern: «Himmlisch!», «Traumhaft!», schwärmen sie, während sie gegenseitig ihre pastellfarbenen Anis-Baisers und Mandel-Küsschen bestaunen. Das Weihnachtsplätzchen ist die unangefochtene Leitkultur dieses zweifelsschwangeren Landes. Unter dem Zuckerguss verbirgt sich die wahre Natur der Deutschen: Sie sind traditionsbeseelte Nostalgiker, besessene Perfektionisten, unersättliche Erneuerer.

Darüber hinaus hat die kollektive Produktion von Weihnachtsplätzchen in diesem angstgelähmten Land auch noch therapeutischen Wert. Draußen tobt der Sturm, der Regen tappert auf die Küchenfenster, der Wind lässt die ganze Nacht hindurch die Pappel im Hof quietschen. Eine solide Grenze baut sich auf zwischen der warmen, duftigen Welt im Wohnungsinneren und dem düsteren Winter im großen, globalisierten Dorf vor der Tür. Nur ab und zu dringt ein Echo von draußen in die Küche. Das Geld wird knapp? Schnell einen Kardamom-Taler in Schokoladenglasur tunken. Arbeitslosigkeit droht? Zur Beruhigung wird flugs ein Einweiß gequirlt. Der Schnee hat die Stromversorgung lahmgelegt? Macht nichts: In der Küche sind die Wangen rot, und Schweiß glänzt auf den Stirnen. Rund ums Backblech vergisst man den Stress und kann sich auf die wesentlichen Fragen konzentrieren: «Gibt es da oben einen Gott?», fragen die Kleinen mit verklärten Engelsaugen. Ich mache mir überhaupt keine Sorgen mehr um dieses Land. Das neue Jahr kündigt sich so süß und dynamisch wie ein Espresso-Küsschen an.

DANK

Seit vielen Jahren schon halten die Meinungsmacher des Berliner *Tagesspiegels* für meine Kolumne «Mon Berlin» jeden zweiten Samstag einen Platz frei. Ihnen und besonders Moritz Schüller gilt mein Dank.

Mein besonderer Dank geht an Elisabeth Thielicke und Jens Mühling für die Verwandlung vom Französischen ins Deutsche.

Und an Frank Strickstrock vom Rowohlt Verlag, der die endgültige Komposition mit Humor und Feingefühl betreut hat.

Und Dank Ihnen allen, meine Treuen vom Samstagmorgen, die mich auf den Straßen von Berlin begleiten, während Sie frühstücken. Und danke auch, dass Sie zu den Lesungen von «Marthe und Mathilde» geströmt sind. Sie waren so viele und so enthusiastisch, dass mir noch immer ganz schwindlig ist.

Das für dieses Buch verwendete FSC®-zertifizierte Papier
Holmen Book Cream liefert Holmen, Schweden.